图画通识丛书
A Graphic Guide

尼 采

Introducing
Nietzsche

劳伦斯·甘恩（Laurence Gane）/ 文

皮耶罗（Piero）/ 图

巩可欣 / 译

三联书店

图书在版编目（CIP）数据

尼采／（英）劳伦斯·甘恩文；（英）皮耶罗图；巩可欣译. —北京：
生活·读书·新知三联书店，2021.3 （2025.5 重印）
（图画通识丛书）
ISBN 978 - 7 - 108 - 07040 - 1

Ⅰ.①尼…　Ⅱ.①劳…　②皮…　③巩…　Ⅲ.①尼采（Nietzsche,
Friedrich Wilhelm 1844-1900）－哲学思想－研究　Ⅳ.① B516.47

中国版本图书馆 CIP 数据核字（2021）第 004020 号

责任编辑　李静韬
装帧设计　张　红　李　思
责任印制　卢　岳
出版发行　**生活·讀書·新知** 三联书店
　　　　　（北京市东城区美术馆东街 22 号　100010）
网　　址　www.sdxjpc.com
图　　字　01-2018-7543
经　　销　新华书店
印　　刷　北京隆昌伟业印刷有限公司
版　　次　2021 年 3 月北京第 1 版
　　　　　2025 年 5 月北京第 3 次印刷
开　　本　787 毫米 × 1092 毫米　1/32　印张 5.75
字　　数　50 千字　图 176 幅
印　　数　07,001 - 10,000 册
定　　价　38.00 元

（印装查询：01064002715；邮购查询：01084010542）

目　录

19 世纪思想的万神殿上，站在最前端的是**马克思**（Karl Marx，1818—1883），**弗洛伊德**（Sigmund Freud，1856—1939）和**尼采**（Friedrich Nietzsche，1844—1900）。马克思对社会经济体系的批判、弗洛伊德对精神性欲生活的分析，至 20、21 世纪之交已被很好地理解、接受。而尼采的思想对于现代意识来说，却仍是一个令人不安甚至恐惧的挑战。尼采知道，这一挑战在他有生之年无人响应。"让我们想象这样一本书，它所谈论的事件在普遍的乃至罕见的经验之外。这是对一个全新经验领域的首次描述。在这种情况下，**你什么都不会听到。**"

我的时代还未来临，有些人在死后才真正降生。

尼采早就预言我们与真理、科学、道德的关系将会发生深远变化，一百多年后的今天，我们才逐渐意识到这一点。

早年生涯

　　1844 年 10 月 15 日，萨克森州洛肯村（Röcken）的一位路德宗牧师迎来了他的第一个孩子——弗里德里希·尼采。这个家族号称具有波兰贵族血统，已经培养出好几代牧师。

　　尼采五岁时，他的父亲死于摔伤造成的脑部受损。第二年，举家迁至瑙姆堡（Naumberg）。小尼采好内省，热爱诗歌与音乐。在学校，他被称为"小牧师"。在家，他和妈妈、姐姐、奶奶、两个姨妈朝夕相处。我们将会看到，这段经历对尼采的影响有多么深远！

1858 年，十四岁的尼采获得奖学金，就读于瑙姆堡附近著名的普夫塔中学（Pforta）。这是一所严格的路德宗寄宿学校，在那里他对古典学产生了浓厚兴趣。他的希腊语和拉丁语极为出色，痴迷于柏拉图和埃斯库罗斯（Aeschylus）的作品。

我写诗、作曲，还和朋友们创立了文学社——"日耳曼尼亚（Germania）"。

1864 年，尼采从普夫塔中学毕业时，还没有流露出任何将要发生思想剧变的痕迹：他感谢老师，并表示自己受惠于"上帝和国王"的恩情。

同年 10 月，二十岁的尼采进入波恩大学学习神学和语文学（对经典文本进行语言文字分析），不久他就放弃了神学。在给妹妹伊丽莎白的信中，他解释道：

> 如果你渴求灵魂的平和与幸福，那就坚持信仰。如果你想做真理的门徒，就理应提出质疑……

第二年，他追随大学期间最喜欢的老师里奇尔（Ritschl），搬到了莱比锡。

叔本华：否定生命

在莱比锡的一家二手书店，尼采读到了德国唯心主义哲学家**亚瑟·叔本华**（1788—1860）的著作《作为意志与表象的世界》（ *The World as Will and Idea* ）。他的著作深受叔本华无神论思想的影响。

字里行间我都能听到抨击、否认和放弃的疾呼。这本书犹如一面镜子，它以令人恐惧的忠实映照出世界、生命和我自身的灵魂。

和他的先行者康德一样，叔本华也认为，**显现的世界**（现象 phenomena）与**真实的世界**（本体 noumena）之间存在根本区别。

所有表象都不过是潜在真实的物质显现，而对叔本华来说，这个潜在真实就是**意志**（the WILL）。

因此，身体动作表象的背后是我的意志或欲望。意志不会像我的身体那样存在于时间和空间中，它不是一个物质实体，但它是全宇宙生命体与无生命体的基础。

这一永恒的、非物质的宇宙力量并没有使叔本华导出存在着一个上帝的想法。相反，意志被看作是所有痛苦的来源，因为欲望从来不会带来满足，只会催生更多的欲望（与释迦牟尼的教义有相似之处）。我们因此陷入对不可能实现的欲望的无尽追求："我们吹起肥皂泡，不遗余力地使它存在的时间更长久，让它变得更大，虽然明知道它早晚要破。"

这暗示了一种消极的顺从态度，我们需要尽可能地忍受生活。尽管尼采后来摒弃了这一深刻的悲观主义，但叔本华阴郁的无神论宇宙观还是被他保留了下来。叔本华认为，宇宙被盲目的意志所驱动，没有终极的意义和慰藉。

……愿望永远无法满足，努力只会遭遇挫败，希冀被命运无情压垮，生命充满不幸的错误，苦难与日俱增，终点就是死亡，生命是一个永恒的悲剧。

叔本华宣扬禁欲主义和否定生命，而我要传达的则是对生命满怀欣喜的**肯定**！

反学者的学者

　　1867 年，尼采被普鲁士军队征召入伍，中断了学术研究。他在炮兵团服役，骑马时胸部意外遭受重创。尼采从小身体就不好，这次受伤后健康更是每况愈下。在疗养中，他开始反思学术研究的生活方式，尤其是语文学。11 月 20 日，他在给朋友欧文·罗德（Erwin Rhode）的信中抱怨："……这群语文学研究者做的事情就像鼹鼠。……他们对于真实迫切的生命问题漠不关心。"

"什么是哲学？哲学就是**缓慢**阅读的艺术！"

"在学术界，自卫的本能已经衰退，要不，他早该为保护自己而反对书本了。学者就是堕落者！"

"不激发人**行动**的写作都是没有价值的！"

与此同时，尼采早年在《莱茵博物馆》（*Rheinisches Museum*）上发表的关于希腊古典文化的论文引起了巴塞尔大学校方的关注。第二年，即1868年，里奇尔教授收到巴塞尔大学的来信，询问他尼采先生能否胜任语文学教授一职。

就这样，怀着受宠若惊的复杂心情，二十四岁的我便成了一名古典语文学教授。

莱比锡大学的老师们决定直接授予他学位而无须参加毕业考试。很明显，这名学生具有非同寻常的学术才华。

接下来的十年中，尼采在巴塞尔从事教学工作。他对学术生涯的幻想也逐渐破灭，加上身体日益衰弱，1879年，尼采三十四岁时便辞职了。"（在学术生活中）完全没有根本的真理。"

悲剧从音乐精神中诞生

　　1872 年，尼采出版了第一部著作《悲剧的诞生》(*The Birth of Tragedy*)，却只是拉远了他和学界的距离。只有一条评论，还是这样说的："不论是谁写出这种作品，他的学术生涯都就此结束了。"

　　这本书被学界贬低与漠视的原因显而易见。一直以来，理性的哲学**论述都不容与创造性的艺术表达相互混淆**，这是西方思想传统非常珍视的一个区分，但这本书动摇了这一传统。这部雄心勃勃的作品力图阐释：

　　1. 古希腊悲剧的起源。
　　2. 人类的文化和思想里存在着一种根本的二元对立，即理性经验与审美经验之间的对立。
　　3. 为什么生命的审美形式是根本的，而理性形式是次要的。
　　4. 为什么现代文化是病态的，又该如何让它重生。

　　为实现这些目标，这本书使用了论证、隐喻、逸事、箴言、修辞、诗歌破格 (poetic license) 等方式，展示了他被学界视为"问题哲学家"的原因——他的风格不局限于传统的理性表达！相反，他不断挑战语言的极限。如同诗人席勒一样，尼采相信"先是某种思想的音乐性掠过脑海，随后才有了诗性的观念"。

阿波罗与狄奥尼索斯

狄奥尼索斯是希腊的酒神，狂欢作乐、放纵感官，代表着"最初的人（primary man）"。酒神崇拜的信徒为进入迷狂的舞蹈，摒弃了语言和个人身份。音乐与醉酒是他们的手段，"神秘的集体狂喜"则是他们的目的。

> 他们寻求一条回到存在源头的道路——一条从自我的监狱中逃脱的道路。

> 七千余不限性别的信徒不受惩罚地参与了这一混乱与污秽的仪式，这场景让执政官十分惊骇诧异。

希腊剧作家
欧里庇得斯
（Euripides,
公元前487—
前407）

这魂游象外的状态使我们短暂地摆脱了孤独感与人类生命转瞬即逝的本质，使我们远离了我们的**直觉**不允许我们逃离的地方。

尼采回忆起一个古老的传说，迈达斯国王（King Midas）找到了经常伴护在狄奥尼索斯身边的西勒诺斯（Silenus）并问他："对人类来说，最好的东西是什么？"精灵面露愠色，一声不吭，直到最后，在国王的逼迫下，他迸发出刺耳的笑声。

可怜的浮生啊，无常与苦难之子，你为什么逼我说出你最好不要听到的话呢？那最好的东西是你根本就得不到的，那就是不要降生，不要存在，成为虚无（nothing）。不过对于你还有次好的东西——立刻就死。

希腊文化如何承受这惨不忍睹的真相呢？借助于另一位神：阿波罗。

012

日神阿波罗象征秩序与理性，他在如梦般的**幻境**（illusion）中具象化，他代表着文明化的人类。对阿波罗的崇拜产生了乐观主义，它强调形式、视觉美和理性认识，帮助我们抵御酒神式的恐惧和由此产生的非理性的迷狂。"为了活下去，希腊人必须将奥林匹亚众神耀眼的幻象树立在自己面前"，并将阿波罗作为他们最伟大的神。自控、自知、适度——哲学家**亚里士多德**（公元前 384—前 322 年）的"中道（middle-path）"。

日神和酒神这两种艺术力量通常是相互独立的，如果它们共同作用，会产生怎样的审美效果？或者更确切地说，音乐与形象、概念之间存在怎样的关系？

叔本华告诉我们……

音乐不同于其他任何艺术，因为它不是现象的摹本，……而是意志本身的直接写照。

013

音乐，神话的起源

在音乐的影响下，概念、形象和感觉都有了更深刻的意义。

酒神艺术往往以双重方式影响日神的天才：首先，音乐刺激我们，产生一种对酒神精神的象征性直观（symbolic intuition），然后，又赋予此形象以至高无上的意义。

接着，音乐就能够孕育神话，"尤其能够孕育酒神知识中的寓言——悲剧神话"。

音乐与悲剧

　　尼采将悲剧称为一种"**审美**意识的新形式"，指出悲剧的生命观不只是一种思考世界的方式，而且首先是一种**感知**世界的方式，只有**音乐**才能将我们导向这种感知。

> 音乐中的酒神精神让我们意识到，一切降生的生命都必须做好准备，直面令它痛苦的消亡，它强迫我们正视个体存在的恐怖，而又不会被看到的景象吓瘫。

　　只有借助音乐，我们才能直面西勒诺斯传递的可怕信息。如果说今天人们并没有感受到古希腊悲剧原有的强烈冲击力，那是因为现在我们只把它当作是舞台剧来体验，原来的音乐伴奏已经亡佚。

阿波罗哲学的胜利

对原始狄奥尼索斯世界的憧憬从根本上说是**审美的**，但这种审美化的憧憬被后来的希腊文化所压抑。这一文化的顶峰是**苏格拉底**（公元前469—前399）。

我认为所有的艺术都是对真实的第二次模仿，因而毫无价值——艺术不过是对生活本身假冒的替代物。

通过他的弟子柏拉图（公元前427—前347），日神的乐观主义哲学和对理性力量的信仰，将操控未来两千年的西方哲学！

难怪尼采告诉我们现代意识是病态的："艺术沦为**单纯的娱乐**，并被空洞的概念支配。"狄奥尼索斯精神被压抑（后来弗洛伊德讨论了"压抑［repression］"），我们仍然与感觉直观（sensual intuition）和属灵真理（spiritual truth）相隔绝。悲剧神话已经丢失。

瓦格纳的案例

尼采在好友**理查德·瓦格纳**（Richard Wagner，1813—1881）的歌剧中找到了悲剧观在当代的最好范例。瓦格纳与叔本华的思想后来都成为尼采哲学思考的重要参考。（最终，他将这二者都抛弃了。）

早年在巴塞尔，尼采就与瓦格纳及其才华横溢的妻子柯西玛（Cosima）结为知己。1869 年，尼采首次拜访了他们在特里布申（Tribschen）的家。

他拥有丰富、伟大和高尚的灵魂……他是如此迷人，值得所有的爱，他也热爱一切知识。

瓦格纳告诉他，《悲剧的诞生》是他读过的最了不起的著作。

"瓦格纳主义"将令德国文化重生，这种想法和我著书立说的目的非常契合！

起初，尼采完全支持瓦格纳在拜罗伊特（Bayreuth）兴建国家艺术剧院的理想，并为这项计划投入了大量的时间和精力。在短文《瓦格纳在拜罗伊特》（"Richard Wagner in Bayreuth"，1870 年？）中，他宣称瓦格纳新创的音乐 - 戏剧综合体是在复兴希腊艺术的黄金时代——是德国文化的救世主。但是，正如尼采随后意识到的一样，他用**自己的**艺术、音乐观曲解了瓦格纳的作品。

瓦格纳自视为政治与性的革命者，但他社会主义倾向的乐观态度无力抵抗叔本华深沉的悲观主义哲学。

1876 年 8 月，瓦格纳最伟大的作品《尼伯龙根的指环》（*The Ring of the Nibelung*）在拜罗伊特上演后，尼采非常失望。

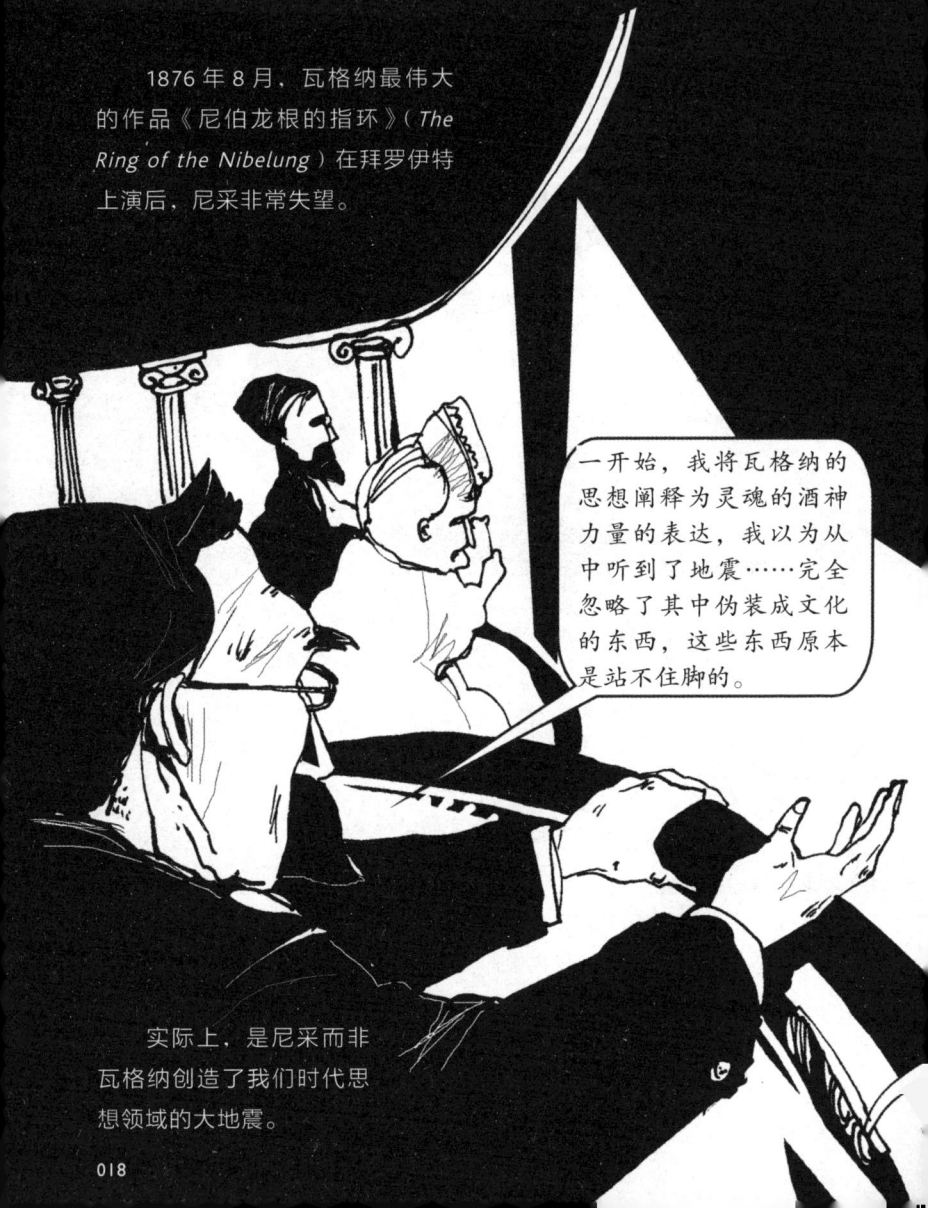

一开始，我将瓦格纳的思想阐释为灵魂的酒神力量的表达，我以为从中听到了地震……完全忽略了其中伪装成文化的东西，这些东西原本是站不住脚的。

实际上，是尼采而非瓦格纳创造了我们时代思想领域的大地震。

随着瓦格纳《帕西法尔》
（*Parsifal*、1877 年）的上演，
尼采与老朋友的友谊也走到了
尽头。在这部歌剧里瓦格纳彻
底拥抱了宗教象征体系，基督
的鲜血拯救了世界！

瓦格纳的艺术是病态的，他
给舞台带来的问题是歇斯底
里症……一个病人陈列室。

曾经的盖世英雄突然
拜倒在十字架前，无可救
药、精疲力竭。

尼采开始远离叔本华的悲观主义。相反，瓦格纳则"卡在了叔本华哲学的暗礁上"——他的悲观主义与顺从——加上颓废的基督教教义。这似乎无可否认：在写给**李斯特**（Franz Liszt，1811—1886）的信中，瓦格纳说……

叔本华……在我独自一人时，像天堂的信使一样出现……他的中心思想，对生命意志的终极否定，严肃到令人战栗，但却是**救赎的唯一道路**。

《罗英格林》（*Lohengrin*）的潜台词是不要探究和质疑。瓦格纳用这种方式宣扬基督教的信条，"你必须且一定会相信"。

瓦格纳变得如此虔诚了！

我们将会看到，对尼采来说，叔本华、瓦格纳和基督教就是颓废、软弱、虚无主义和否定生命的同义词。所谓怜悯和自我牺牲的本能，其实是"人类最大的危险，最极致的诱惑和吸引——引向何处？将人类引向虚无……**意志反过来与生命为敌**"。

与瓦格纳的决裂让尼采无比痛苦。"无论如何，我永远都不会忘记（与他）在特里布申度过的那些日子——充满信任、快乐，闪烁着崇高的光芒，又不乏意义深远的时刻。"

但最后……

> 我不得不摒弃我身上所有病态的部分，包括瓦格纳，包括叔本华，包括全体现代人。

与日俱增的孤独，健康逐渐恶化（持续头痛、视力衰弱），这些都需要尼采进行定期休息和康复——温泉疗养、爬山旅行——但他仍在学期开始后按时返回巴塞尔授课。

1875 年，他结交了一位年轻音乐家海因里希·奎塞茨（Heinrich Kösehtz）——尼采称他为彼得·加斯特（Peter Gast，加斯特在德文中意为访问者、同伴）——他记录尼采的口述作品，并帮着誊写尼采的手稿。

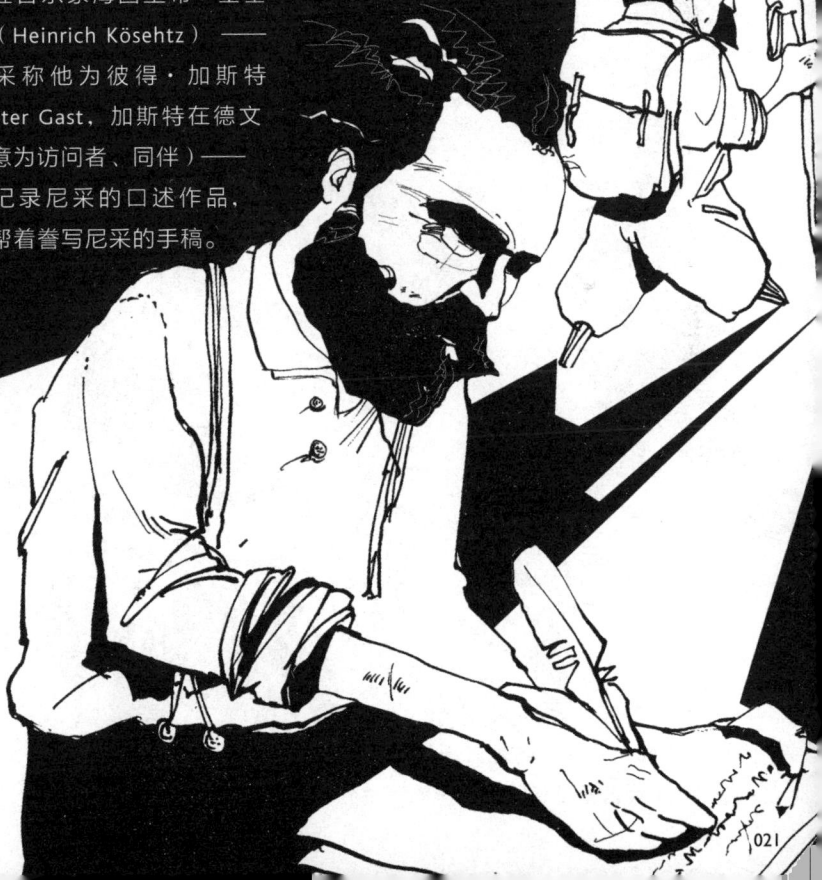

什么是历史?

现在一般认为,尼采早年作品的主要倾向是,拒斥**后苏格拉底哲学**
(post-Socratic philosophy)理性的、学院式的方法,支持酒神艺术直观的、
本能的激情,即从审美的、肯定生命的视角来看待人类的处境。然而,随
着《人性的,太人性的》(Human, All Too Human,1878 年)的出版,我
们在尼采思想中看到了更少感情色彩和更具分析性的一面。

> 我有一个研究使用了苏格拉底式的理
> 性,这个研究开始于一篇文章……

> 那就是文集《不合时宜的沉思》
> (Thoughts Out of Season,1873—1876 年)
> 中的"历史的用途与滥用"("the Use
> and Abuse of History")这篇。

在此,尼采适时地分析了"什么是历史?"这个问题,反思了 19 世
纪 70 年代普鲁士在欧洲取得的军事胜利。

1870 年，尼采曾短暂地在普法战争中担任志愿卫生员，但他染上了痢疾和白喉，需要长期疗养。普鲁士的"第二帝国"在这场战争中被视为德国文化理想的胜利，而尼采却彻底摒弃了这种爱国的热情。

现代普鲁士是一种对文化构成了威胁的力量，正如历史本身能够威胁现在一样，因为历史理想化了过去的伟大民族，并告诫我们只需模仿这些死掉的文化。

"我们现代人没有可称之为自己文化的东西。我们用并非自己的风俗、艺术、哲学、宗教和科学来填充自己：我们是漫游的百科全书。"（《历史的用途与滥用》）但重点是**吸收**过去，用它来创造我们自己的生活与文化。历史是现在的重负。

什么是教育？

　　教育给予我们大量**关于**文化的信息，教育的产物是所谓的"知识分子"，他们掌握过多的历史，以至于无法过他或她自己真正的生活。教育**坚持精准的细节**和**超然的**"**客观性**"，其目的仅仅是麻痹个体在世界上自我实现与行动的计划。

无需历史，也可以使人受到良好的教育。

　　如果我们想要创造真正的文化，我们需要接受**更少的**（传统意义上的）教育。

什么是文化？

　　任何群体或阶级的文化、信仰和价值观，永远不可能只靠教育产生。最伟大的民族有时会产生**天才**，但在国家较少干预教育的地方，这一稀有事件发生的概率反而更大。

文化与国家是对立的。

　　事实上，"所有出现伟大文化的时期，都是政治衰败的时期"。政治、经济、全球贸易、议会政治和军事利益的发展都需要投入很多的精力，这通常会**降低**一个民族的文化水平。

如何改善德国文化的可悲状况呢？具有讽刺意味的是，这个任务反而要交给民族的年轻人，因为他们对现状抱有一种健康的态度，即藐视现状。"首先，他们会比现在受过教育的人无知，因为他们会抛弃很多知识，甚至没有兴趣去讨论那些受过教育的人特别想知道的东西。实际上，在受过教育的人看来，这些人的特征就是缺乏科学（即知识），对一切好的、有名的东西，既漠不关心，也不去接触。"

只有这样我们才能创造自己的文化，而不是对过去的文化亦步亦趋，囫囵吞下，就好像鳄鱼吞下羚羊一样，最终只会动弹不得，彻底僵化。

对历史和教育的冷漠终将创造出一种真正有生机的文化：一种精神的自由。"在治疗的最后，他们又重新成了人，不再仅仅是人类的影子。"

当然，尼采自己也正在经历"治疗"，只有这样他才有希望对那些"好的、有名的东西"进行彻底的批判，这一批判会深刻改变现代人对知识、道德和人类心理的认识。尼采对文化的发问会导向他留给我们的唯一一条目的论（teleological）* 信息。

> 人类的目的不可能存在于时间的尽头，而只能存在于人类最高级的典范中。

因此，在时间胶囊里，我们将知识、艺术的瑰宝与传递给未来的信息放在一起：如果人类的生命有价值，那么价值就在最伟大的文化作品——罕见的天才之作当中。

---

* 目的论：认为过程和事件都与最终的目的、结果相关的理论。——译注

对形而上学的批判

如果文化是我们的最高目标，我们或许会问，仅运用理性来思考现实本质的形而上学理论呢？它的位置在哪里？"的确，**可能**存在一个形而上学的世界，其存在的绝对可能性（absolute possibility）很难否认。我们用头脑审视一切且无法砍掉这颗脑袋，然而还是可以问，假如我们真的**砍掉了脑袋**，留下的世界会是什么样的？"（《人性的，太人性的》）

试图回答这个问题的理论显然不在人类研究的范围内。历史上，这个问题一直令哲学家着迷，但假设我们同意，的确存在着一种形而上学的维度，那么我们从中得到了什么？

毫无疑问的是，形而上学的知识将是最没用的知识，比水的化学成分之于一个快要淹死的水手来说还没用。

为什么呢？因为我们生活在物质世界上；只有在物质世界里，我们的思想和欲望才有用武之地。只有在这个人类行动的世界，尼采批判性的洞见才能对我们时代的思想产生最大的影响。

康德的观念论

正是在这个问题上，尼采与**伊曼纽尔·康德**（Immanuel Kant，1724—1804）这位或许是最伟大的德国观念论哲学家持有不同的看法。康德的背后是可追溯至柏拉图的思想传统，柏拉图想要认识超越我们日常经验的终极真理：一个潜在的、无时间性的真实（如同叔本华的意志论）。这种对真理的理解试图超越任一文化或个体的特殊事实，其实就是超越历史本身。康德将这个永恒真理的领域描述为**本体**或 "物自体（things-in-themselves）"，与之相对的是我们通过感官得到的**现象**或 "显象（things-as-they-appear）"。

他在《纯粹理性批判》（*Critique of Pure Reason*，1781 年）中谈到本体……

即使我们能够使自己的知觉（perceptions）水平达到极致，我们也不会因此更加接近物自体的构造。

康德的眼镜

因为我们受限于理性与感官知觉的使用，所以永远无法认识本体世界。但康德仍然坚信，这一本体世界真的存在。他认为我们的感觉把我们排除在本体世界之外，感觉与有色眼镜发挥着相似的作用，它使得所有事物都在各种固定的"范畴"下呈现——时间、空间、因果关系——各种我们无法逃避的范畴。

因此我将把研究限定于这个问题，即在我描述的范围之内，我们能可靠地知道什么。

我拒绝康德的形而上学！

"缺少历史感是所有哲学家的'遗传性'缺陷。……一切事物一直在**生成**（其所是）。没有永恒的事实，也没有永恒的真理。因此，今后最需要的便是**历史性的**哲学思考，同时保持谦逊的美德。"——《人性的，太人性的》

康德的道德准则：你知道它有理

尼采与康德的分歧在于，尼采相信的是**生成**（Becoming）。没有必要寻找一个固定不变和没有时间的宇宙，这种诉求不过是出于"形而上学家对真实的愤恨"。（"生成"论随后孕育了尼采的箴言"成为你之所是"——"超人"理论臭名昭著的标志。）

让尼采更加无法忍受的是康德的道德哲学，尤其是其中著名的**绝对律令**（Categorical Imperative）。

> 当你在行动时，要使得你行动的原则总变成一条普遍法则。

> 他相信，他的道德律令只能通过理性的光辉才能得到保证——"己所不欲，勿施于人"。你知道它有理！

尼采称之为道德狂热，这反映了康德作为"神学家的本能"。"在思考和感受时，放弃内在需要、放弃个人的深刻选择、放弃愉悦，就像一台只知道'责任'的机器，还有什么做法能像这样迅速地摧毁（一个人）？""美德必须是**我们**的创造物，**我们**最个人化的辩护与需要。"

这将尼采引向了一个根本点。道德不可能仅以理性为基础，而且即便如此，我的理性恐怕也和你的理性不同……

我们每个人都应该设计**自己**的美德，**自己**的绝对律令。一个民族如果错误地把自己的责任看成是普遍的责任，这个民族就可能灭亡……康德的绝对律令应该让人感到致命的危险！

最终，尼采将会把知识的问题与道德的疑问相结合——我们绝不能割裂来看。因此，我们要问的不是"我们能**知道**什么？"，而是"知道什么对我们是**有益**的？"

尼采的风格

教育、历史、文化和形而上学仅仅是《人性的，太人性的》一书涉及的一小部分论题。尼采在这部著作里发展了他独具特色的涉猎广博但言简意赅的箴言（aphoristic）风格：在一段文字中，他从科学、宗教又聊到了音乐！有时，他看似自相矛盾。

"越是思想深邃的人就越加明白，无论他的行为、判断如何，他总是错的。"

有时，他充满**挑衅**。
"真理的推进并不必然提升人类的幸福。"

他经常**喜好争辩**。
"我们现在称为世界的东西，不过是种种错误和幻想造成的结果。这些错误和幻想在有机自然的总体演进过程中逐渐出现、相互缠绕，现在我们把它们当成是整个过去积累的财富来加以继承。"

甚至表现出**虚无主义倾向**。
"一件事的不合理性，不能成为反对它存在的根据。相反，这恰恰是它存在的条件。"

也正是在这本书里，尼采开始思考后来在《善恶的彼岸》（*Beyond Good and Evil*，1886 年）、《道德的谱系》（*The Genealogy of Morals*，1887 年）、《查拉图斯特拉如是说》（*Thus Spake Zarathustra*，1883—1885 年）等著作中探讨的一些问题：

1. 道德与宗教的起源
2. 科学的局限
3. 权力意志
4. 真理的本质

笔触的轻逸

尼采思想的多样性产生出一种丰富、精炼的文体风格，充满隐喻、明喻和寓言。他有意不做"深入详尽的"讨论，认为这是迂腐的学院思维的标志——是在窄路上辛苦踟蹰——试图找到绝对真理和一个完整的思想体系。

我一向不信任热衷体系化的人，并躲着他们，对体系的渴望是缺乏诚实的表现。

"因为，我处理深奥的问题就像冲冷水澡一样——快进，快出。说一个人这样做还不够深入，没有触及底部，不过是恐水症的迷信……如果一个事物仅仅是在转瞬即逝间被触摸、观察和阐释，它就真的仍是不被认识和理解的状态吗？真的需要像母鸡孵蛋一样，先坐在上面琢磨很久吗？"——《快乐的科学》(*The Gay Science*，1887 年)

不，一个伟大的思想家拥有笔触的轻逸、精神的自由。"就如同云彩可以告诉我们风吹动的方向，最轻逸和自由的精神能够预告将要到来的天气……"

　　拥有自由精神的人如今变得如此声名狼藉，主要是因为学究们总觉得自由思想者的思维方式不具备像他们那样的缜密和蚂蚁般的勤奋。

箴言

　　学者如"蚂蚁般的勤奋",为读者生产了大量著作,使我们笃信深奥的东西必须是大部头的。尼采反驳道:"简单的话语可能是深思熟虑的成果。但一个初涉该领域的读者……会以为所有简要表述的东西都还停留在萌芽状态,因此责备作者端上了如此粗糙、不成熟的食物。"

多数思想家文笔糟糕,因为他们不只传递思想,还传递他们对于自己思想的思考。

所以,小心并激情地运用语言——用鲜血去书写!

只有最敏锐的读者才能掌握意义。

"格言警句、箴言是永恒的形式；我的志向是用十个句子说完其他人用一本书来说的内容、用一本书还**没有**说出的内容。"

让我们在实践中检验一些箴言，主题是"作家与读者"。

论作家

"我绝不再读有意著述者的作品，而只读那些无意成书者的著作。"

"真正诗人的真正思想往往蒙着一层面纱，就像埃及的女人。"

"**问**：你为什么写作？**答**：这是我摆脱自己思想的唯一方式。"

"一本书如果不能带我们超越所有的书，那它还有什么存在的意义？"

"当书开口说话时，作者必须闭嘴。"

"悖论只是还未敲定的断言。作者或使它们显得机智，或希望看起来具有迷惑性，更重要的是呈现某种姿态。"

论读者

"好的读者能使一本书更为美妙，好的反对者使一本书更为明晰。"

"现今，在（读者的）阐释下文本常常消失。"

"无限泛滥的批评暴露出现代人格的弱点。"

"最终，没有人能从事物（包括书）中提取超出他已知范围内的东西。人们会无视通过经验无法获得的东西。"

"有人评论道：'通过我自身的感受就能判断，这本书是有害的。'但只需让他等着，可能某天他就会意识到，正是这样一本书帮了他大忙，把他内心隐藏的疾病呈现出来。"

知识的代价

《人性的，太人性的》出版后，尼采的健康状况彻底恶化。他失去了许多朋友，他将这本书寄给瓦格纳，却没有收到任何回音。

出于对他的好意，这本书我根本没有读，我最大的希望是有一天他会因此感谢我。

彼得·加斯特：第二年，他的身体越来越糟，不得不辞去巴塞尔大学的教职。在 1879 年写给我的信中，他说道：

我觉得自己像一个非常衰老的人，……在中年便被死亡包围，随时都可能被它带走。

在另一封信中，他表明写这本书"付出了巨大的代价，如此艰难困苦，如果有选择的话，没有人会为写这本书付出那种代价"。

一如未来所示，尼采为了"思想的激情"付出了高昂的代价。"如果你命中注定去思考，就赋之以神圣的荣耀，为之牺牲你拥有的最好的和你最爱的东西。"在之后的十年，直到 1889 年他的精神开始完全崩溃，他失去了许多亲密的朋友、新添了敌人，并遭受着与日俱增的孤独——除此之外还有几乎每日发作的病痛。

在知识上获得的每一个胜利，都是自我受难的结果。

此时巴塞尔的寓所已经关闭，尼采将在法国、意大利、瑞士的旅行中度过未来的时光。

1880 年，他游览了马林巴德（Marienbad）、海德堡、法兰克福、威尼斯、博尔扎诺（Bolzano）、斯特雷萨（Stresa）和热那亚，并在热那亚度过了冬天。《人性的，太人性的》第二部分《漫游者及其影子》（"The Wanderer and his Shadow"）出版了——这一题目是对他余年的完美概括

永恒轮回

1881 年 8 月，尼采在瑞士的锡尔斯玛利亚（Sils Maria）。

那天，我正在席尔瓦普拉纳湖（Silvaplana）边的林地穿行；在距苏尔莱（Surlei）不远处，一块金字塔般兀立的岩石旁，我停住了脚步。这时，一个观念在我心中油然而生……

这就是**永恒轮回**（Eternal Recurrence）的观念。这一观念的力量与朴素令他震撼，反复再现（！）在之后的作品当中。尼采的永恒轮回很接近古希腊斯多葛学派哲学家的学说，并与佛教的轮回说（Karmic repetition）遥相呼应。什么是永恒轮回？

某个白天或夜晚，在你最孤独的时刻，假如一个魔鬼尾随在你身后，并对你说：

你正在经历和已经经历的生活，你将无数遍地反复经历；没有任何新的内容，你生命中的每一次痛苦和欢乐，每一个想法和叹息，还有所有无法言传的大大小小的事件，你都会再次经历，且都按照相同的顺序……

你难道不会拒绝，咬牙切齿地诅咒说出这些话的魔鬼吗？

我们可能会觉得这种想法令人沮丧，但它的确也会带来某种形而上的慰藉：死亡并不是尽头。尽管对永生的追求者来说，基督教的天堂显然更诱人。

永恒轮回强调了我们当下行动的意义：无论我们现在做什么，所做的事都将一次又一次地重现。它强调了我们对这些行动所承担的个人责任，并蕴含着一种劝诫：努力变得更伟大，超越自我——因为当下这一刻就是全部，所以我们要充分利用它，充分实现自我。

你曾向一次快乐说过"是"吗？哦，我的朋友，那么你就也向所有的痛苦说了"是"。所有的事情都是相连、相绕的，一切事物都在爱之中。如果你曾希望某一时刻再次发生，如果你说过"幸福、瞬间、片刻，你让我快乐！"，那么你就希望一切都重现！

查拉图斯特拉如是说。

尼采与女人

　　关于尼采的性取向已有很多讨论：他是同性恋、双性恋、禁欲者还是一个憎恶女人的人？在童年，他的家庭成员有母亲、祖母、两个姨母，尤其重要的是，还有比他小两岁的妹妹伊丽莎白。尼采年仅五岁时，他的父亲去世，剩他一人完全受制于专心抚育他的女人们，她们以基督教价值观的自控、顺从、利他等教义严格教育、培养他。以小尼采的性格，这一定难以忍受！

凡是有活人的地方，我都能听到关于顺从的说教。一切活物，都要顺从。

学生时代，他至少去过一次妓院，在那里他可能染上了梅毒。他终身未婚，今天我们知道的是他只有过一次恋情。

在一些作品中，他高度赞美女性。

"女人拥有智慧，男人拥有个性和激情。"

"蠢笨是不适用于女人的特质。"

"还有比怀孕更加神圣的状态吗？"

"一个通情达理的女人的爱是治疗男性自卑最可靠的方式。"

但更多的是他对女性的批评。

"女人本质上是不宁静的。"

"在报复与恋爱上，女人比男人大胆、野蛮得多。"（或许这是一句恭维？）

"真正的男人渴求两件事：危险和娱乐。因此他渴求女人，最危险的玩物。"

"完美的女人在爱你的时候会将你撕成碎片。"（另一句恭维？）

尼采强调了性别间的差异。

我们需要发展显示性别之间差异的特性，需要扩大性别之间的鸿沟。

然而，他也向我们提供了一些后女性主义的观点……

一个越女性化的女人，就越是奋力反对一般意义上的权利。事物的自然顺序和性别之间的永恒战争，赋予她最高的地位。

女权运动的历史证实了这个说法！

自我欣赏是健康的。知道自己穿着考究的漂亮女人，何曾因此而感冒？

"女人比男人更了解小孩，但男人比女人更像小孩。"

但无论差异如何……

> 男性和女性都适合来跳舞，用头，还有用腿。

因此，让我们讲明，尼采是：

1. 异性恋的。

2. 可能是禁欲的。（瓦格纳在给尼采医生的信中暗示尼采过度手淫！）

3. 对某种他总是感到很棘手的女性极其崇拜："男人对女人来说是一种手段，其目的总是一个小孩。那么女人对男人来说是什么？"（甚至弗洛伊德对这个问题也无从回答！）

尼采有过一次失败的求婚经历。1876 年，他曾向年轻的荷兰姑娘玛蒂尔德·特兰珀达赫（Mathilde Trampedach）求婚。但似乎他唯一一次严肃的恋爱是在 1882 年，他爱上了一位年轻的俄国女孩卢·莎乐美（Lou Andreas-Salomé，她后来成为弗洛伊德的知己）。尼采的朋友犹太心理学家保罗·雷（Paul Rée）在罗马介绍他们相识，两天后尼采就向她求婚——再次失败！雷也爱上了卢，看起来有可能形成三人同居的关系，但很快尼采就失去了他的朋友和爱人。

> 我希望你俩都认为我是一个被头痛困扰的、半疯的人，因为太孤独而癫狂了。

在这种被抛弃的状态下，1883 年，尼采开始写作他最著名的作品《查拉图斯特拉如是说》。查拉图斯特拉的形象是一个身在异国的孤独漫游者，显然这就是尼采自身的写照。

卢显然是个非同凡响的女人。一张照片中，她驾驶着马车，而尼采和雷则是拉车的马，她挥舞着鞭子！尼采试婚（"租约"）的提议并没有让她产生丝毫反感。后来，她回忆了对尼采的初次印象。

他与周围的环境格格不入，一层无声的孤独气息环绕着他。

《快乐的（或欢乐的）科学》（*The Gay* [or Joyous] *Science*）延续了尼采在《人性的，太人性的》中开始的对文化的批判分析。在这本书里，他关于科学、宗教和道德的想法召唤的是现代意识的新方向。

日常生活的微观历史

　　首先，尼采呼吁研究迄今所谓"琐碎"的现象。他要求我们从思想的大历史转向对我们日常存在产生影响的那些事件，这些事件将日常存在塑造成一种具体的文化形式。"所有为存在增色添彩的事件至今还没有历史。爱、贪婪、嫉妒、良心、虔诚、残酷的历史在哪里？甚至一个关于正义的比较史，或甚至只是惩罚的历史，都完全是缺失的。"

> 一旦这些历史被记录下来，便能展示由不同的生活方式塑造的不同的道德风尚。

> 学者、商人、艺术家和工匠的道德——他们找到他们的思想家了吗？

　　研究将表明，存在多种**道德**而非单一的"道德"——不存在这样一个永恒的王国，柏拉图或基督的"善"和"真"能够永远快乐统治的王国。这最终会将我们导向**《善恶的彼岸》**中关于道德的最难理解的真理，"根本不存在道德现象，只存在对现象的道德阐释……"

美德是一种美德吗？

举例来说，让我们设想一下我们怎样判断一个人是**有道德的**。一个有道德的（亦即好的）人因**对他人**做的好事才被人称赞。美德——顺从、贞洁、公正、勤奋等等——实际上会伤害拥有这些美德的人！"如果你具有某种美德，……你就是它的受害者！"所以，我们赞美他人的美德是因为我们可以**从中获利**。

> 他们不把自己的力量和理性用于自我保存、进化和发展上，而是耗费在我们身上！

> 难怪美德如此被人称颂——他人身上的美德！

但"美德"这个概念的力量仍未受质疑——如同"罪"的概念一样。"即便最明智的法官，甚至女巫自己，都确信女巫犯下了施行巫术的罪，但事实上罪并不存在。所有的罪都是如此。"

群氓的力量

　　道德信仰一向是**集体的信仰**，集体优于任何有异议的个体。"在道德之下，个体只能将个人价值归为群氓的一个功能。"后来，群氓成了尼采道德起源思想的中心观点。道德谴责和控制只能通过社会舆论出现。

> 道德是个体内在的群氓本能。

　　它代表着那些个体意义上脆弱，但集体意义上强大的力量。（他们希望）他们的道德律令会保护他们，并证明他们和他们的生活方式是正确的。

上帝之死

　　如果尼采道德起源的观点是正确的——如果道德观念只是人类利己主义与生存进化欲望的简单产物——那么我们又如何谈论宗教,这一道德信念与戒律的古老来源呢?我们的神又将会怎样? "对于某些遥远的时代,整个宗教可能只代表着一种演习、一种前奏。"在此,我们首次遭遇**上帝之死**的观点。

> 多么可怕又令人高兴的想法!可怕是因为我们感觉被从前的保护者抛弃了,而高兴是因为我们的世界刹那间向无限敞开了。现在,任何事都可以肆意想象……

　　我们当中的"自由精神"将会很高兴听到这个消息: "我们心中充溢着感激、惊讶、预感、期望——最后,地平线似乎再次开阔了,尽管并不明亮。但不管有什么风险,我们终于能再次扬帆远航了。所有知识的勇敢冒险再次变得可能。大海,我们的大海再次在我们面前敞开了,可能这里还从未有过这样一个'敞开的大海'。"

在《快乐的科学》中，尼采通过一个疯子的口说出了上帝之死的消息。人们置之不理——但这个形象震撼人心：早上，他提着一盏灯，四处寻找不可能被找到的上帝。

我们杀死了他，你和我。我们都是谋杀犯，但我们是怎么做到的？我们如何饮尽了海水？是谁给了我们擦去整条地平线的海绵？

疯子发觉没人相信他，便凝视着旁观者们："我来得太早了，我的时代还没有来临。这件大事还在途中，还在旅行，还没传到人们耳中……这件事与他们的距离，仍比最遥远的星星还要遥远——**虽然这是他们自己做出的事。**"那天晚些时候，他去了小镇的教堂，并唱了一首安魂曲（requiem aeternam deo）。"现在，如果不是上帝的坟墓和圣体安置所的话，这些教堂还是什么？"

没有上帝的生活？

   一百多年后的今天，我们仍在设法解决那个疯子的消息所造成的苦果。

> 如果我们足够伟大，以至于能结束上帝的统治，我们能不为了看起来值得，就让自己成为新的神吗？

> 现代的"人类神"（电影明星、伟大领袖、艺术家等等）与"老神"相比有任何进步吗？

> 可能我们还是不能过缺少上帝的生活？

对科学的批判

尼采对科学研究的思考，恰如他对道德、宗教的看法一样充满挑战性。作为一种"绝对价值"的科学——作为我们无神论时代的一种"新宗教信仰"的科学——被激烈地批判了。为了知识而追求知识，与为了善而追求善一样毫无意义，且同样有害。

如果我们问"善的目的是什么"，那我们也要强调**知识的目的是什么**？科学家常常表现为知识的**奴仆**，而不是让知识成为**人类**的奴仆。

> 有许多事情我不希望知道。才智也限制了知识的范围。

如果我们忽视这个警告，我们将会对知识上瘾，将承受可怕的后果。"实际上，我们今天实践的科学得以可能，已证实保护生命的基本天性不再发挥作用了。"任何危及生命的真理都根本不是真理，**而是一个谬误**。

科学的方法

　　科学为了**解释**世界而提出了要求，尼采对此展开了进一步的激烈批评。

　　我们称它为"解释"，但它不过是"描述"，它将我们与早期的知识、科学阶段区分开来。我们的**描述**更好了——但我们的**解释**与前人相比没什么进步。

　　我们希望怎样**解释**火（一种分子结构的变化），或

　　音乐（一种气体介质的振动），或

　　思想（一种生物系统中电能的变化）？

　　我们实现了越来越复杂且老练的描述，但我们**什么都没有解释**。这种现象对我们与对最原始的人类来说无异，仍是如此神奇。

从描述到图像

我们完善了事物如何变成现在这样的**图像**——精子、卵子、胚胎等等——"但我们还没有彻底了解图像，或者说它背后的东西"。

举例来说，我们将**原因**（cause）描述为产生一个**结果**（effect），但正如苏格兰哲学家**休谟**（David Hume，1711—1776）指出的一样，这是一个粗糙的二重性。

> 对描绘事件过程来说，因果关系是一个有用的人类工具——但除此之外它什么都不是。

> 原因和结果……可能从未发生——现实中存在着一个连续体，我们只是从中孤立出一对碎片……我们看不见原因，我们只是推断它。

因此，如果我们为了有助消化、理解，将世界无限的连续体切割成易管理的碎片，那么，让我们不要再臆断我们为自己准备的菜单是唯一的，甚至是最可口的一个。但科学却自大地坚持它是！

"我们为自己布置了一个能够生活的世界：我们假定有主体、线条、表面、原因和结果、运动和静止、形式和内容——如果没有这些信条，没有人能活下来！"

对知识的精神分析

宗教、道德、科学：它们的历史"太人性了"。它们对真理的要求与其理想相差甚远。在这些独特的批评背后，我们开始感受到一种对人类思想的普遍怀疑，但这一怀疑却认识不到更深层次的动机和需要。作为弗洛伊德的先驱，尼采开始对知识展开心理学的、形而上的批判。

> 思想是我们感觉的影子，它总比感觉更黑暗、更空洞、更简单。

讽刺的是，我们最应当为我们器官中最不可靠的部分感到骄傲。"意识是最后、最迟发育的，因此也是最不健全、最脆弱的器官。意识产生了数不尽的错误，它使动物、人比其必然死亡的时刻更早死去。"

思想与感觉、本能、欲望、需求交织混杂，为 20 世纪的心理学家和分析家提供了无尽的工作，并悄悄缓慢破坏了依然在我们这个时代占有一席之地的、纯理性主义者对"事实"的信仰。

反达尔文进化论

    这个重要思想阶段的结论将尼采引向了这样一幅图景，即人类只是刚从它的动物性的过去中脱离——且仍在某些方面不如动物。假设从源头上与我们的动物性本能断绝关系，再加上一种危险的、过度开发的理性能力——**智人**（Homo sapiens）将会是什么样？显然，我们在此面对的是进化论问题，但是什么问题呢？

> 我当然不认同达尔文"适者生存"的观点，因为这类生存仅仅是为了存在（existence）而斗争——为了生而不是死。

    特殊的生命形态很可能不太适应生存。进化形态的历史表明："幸福的意外被消除了，更高级的进化物种无路可走，但平均和平均水平以下的物种却一直繁衍……"这一简单的生物进步根本不是进步——它导向了畜群的胜利。

质的进化

查尔斯·达尔文（Charles Darwin，1809—1882）在《人类的由来》（*The Descent of Man*，1871年）中描写了一个由很多成员组成的部落……

> 那些总是准备着帮助彼此、为了共同利益而牺牲自我的，会在众多部落中获得胜利——这就是自然的选择。

> 我将颠倒这一设想。如果必要的话，让部落牺牲，来保证一个伟大人物的存在。我们应力求提高的不是数量，而是人类的质量。

"自然希望拥有六个或七个伟大的人，但国家让这个过程变得迂回。是的，那么就避免这样！"一次斗争，不是为了生存（达尔文），而是为了**伟大**（greatness）——随后，为了**权力**（power）。这种高度不民主的观点，将人类当作一种"原料"，从中生发一些伟大的个体，这导向尼采异乎寻常的政治观……

政治：道德与国家

如果用团体的道德来表达团体的需求是对个体自由的威胁，那么我们就必须用怀疑的态度来对待民主政治，因为道德与法律相伴相随。

团体 = 道德
民主政治 = 国家

放大来看，国家法律的出现，如同集体的道德一样。

> 作为一个政治主体，问我向国家索取什么是一种错误。事实上，是国家向我索取什么的问题。

"只有远离政治本能的人才知道他们想向国家索取什么。"——《希腊城邦》（*The Greek State*，1873 年）

民主的悖论

如果我自己的意志碰巧与集体的意志不谋而合，这只是一个幸福的意外，这提出了所谓**民主的悖论**。在民主中，我忠于两个原则：1. 大多数（国家）的意志；2. 我自己的意志。不幸的是，这两个原则并不必然重合！

显然，政府的需求剥夺了个人意志——一种政治达尔文主义。这次，在国家的旗帜下，畜群再次胜利了。

"国家越有秩序，人民就越蠢笨。"——《我们语文学家》（*We Philologists*，1875 年）

"国家越少越好！"——《朝霞》（*The Dawn of Day*，1880 年）

政党的邀请

但是，哪怕在今天我们仍鼓吹国家是最文明的社会形态，我们的最高义务就是为它服务。尼采回答道：

思虑太多的人不适合成为党派的成员。他的思想会让他迅速超越党派。

在箴言的帮助下，我们能快速总结尼采对当时政党的思考。

自由主义（Liberalism）

"'自由'是形容平庸的礼貌术语。"

"在富人中，宽容通常只是胆小的一种形式。"

社会主义（Socialism）

"总是会有很多有一定资产（财富）的人支持社会主义，来表现他们只不过是遭到了疾病的冲击。"

"专制主义已经近乎腐朽，社会主义是其异想天开的小弟，并希望继任。"

保守主义（Conservatism）

"所有时代的保守主义者都是外来的骗子。"

"自由意志学说是统治阶级的发明。"

政治：智性的滥用

尼采预料到——我们时代的媒体再现——对于政治对整个文化的控制是如此必要。"一个想要感动群众的人，难道不是必须要在舞台上表现自己吗？"诚然，我们对政客的评价总体上在下降。"强盗，与那些承诺不让团体受到强盗威胁的、有权势的人，本质上是一个模子中刻出来的，只不过后者与前者相比，用不同的方式得偿所愿。"

我们再一次受邀看到了政客提出的运动和"理想"的背后，是他们为其政治权力所作的辩护。

> 我反对的不是对权力的渴望——这是完全自然的——我反对的是歪曲它，这是我们政治机构的风土病。

"某天，我们会发现政治同它被描述的一样粗俗，所有政党和每日新闻，头条都是：'智性的滥用'。"

政治：真理之死

　　尼可罗·马基雅维利（Niccolò Machiavelli，1469—1527）对政治统治者在决策时的倾向也有类似的批评：即他们把个人喜好冒充为合理的、必然的决策。纵然他的政治观念（他是一个坚定的共和党人）与尼采对政治的普遍谴责风马牛不相及，他比尼采更先注意到统治者的实际表现及其必要的**权宜性**行动。在他的《罗马史论》（*Discourses*，1513—1521 年）中，马基雅维利这样描写意大利的教派统治者。

罗马教堂是我们宗教的中心，离它越近的人，越不虔诚……

　　马基雅维利对政治中的胜利进行了辩论，这最终引向了一个问题，即统治者应该拥有多少权力，而不是他的事业与多少"公正"或"荣誉"相关。"二战"中同盟国的胜利只是显示出强权的获胜。战争中的任一方**总是**相信正义是他们的同盟。

政治不是说真话的问题，而是是否**被相信**的问题。

真理本身没有权力。它必须要么吸引权力倒向自己，要么自己倒向权力，否则它就会一次又一次地消失。

尼采总结道："当然，政治中的完美典范就是马基雅维利主义。"——但只是在我们必须有政治的情况下。"一个对**哲学狂热**（furor philosophicus）的人不会再有余暇对**政治狂热**（furor politicus），他将明智地拒绝阅读报纸，或为一个政党效劳。"

查拉图斯特拉如是说

1883 年 2 月，尼采的**哲学狂热**达到了新高度，他在意大利的拉帕洛（Rapallo）小镇度过了冬天，用仅仅十天完成了他最著名的作品《查拉图斯特拉如是说》的第一部分。

在与卢·莎乐美的恋情后，他感到强烈的孤独，这清晰地反映在了查拉图斯特拉这个人物身上。

他有一种弥赛亚的品质，但又拒绝以信徒的身份接近他的人。在两年后完成的第四部分尾声中，查拉图斯特拉只对他自己说话。

本书的书名来源于梵文 **Iti vuttakam**，"圣者如是说"。**查拉图斯特拉或琐罗亚斯德**（Zoroaster，公元前 628—前 551）是一个建立了**琐罗亚斯德教**（Zendavesta）的先知，它先于伊斯兰教诞生，今天仍在印度帕西人（Parsee）中流传。

> 我承认两种信念——善（good）与恶（evil）——它们是互相敌对的神的化身。善终将胜利，而逝者会复活，并在地球上创造天堂。

> 在他的宗教中，道德在其自身中形而上地消亡。我选择他是为了纠正他自己的错误——并揭露道德是一种欺骗！

查拉图斯特拉现在必须提高声音，并非为了形而上学，而是以地球、身体、最重要的是以超人（the Superman）之名。

神谕

这本书是一个新的开始：一个即将超脱人事的存在者极度痛苦的宣泄。"必须用雷声和神圣的焰火唤醒微弱、隐匿的感觉！"查拉图斯特拉超凡地协调了神秘的洞察力、诗意、渴望与直觉。

所有真理都是骗人的。时间本身是一个循环。

这真是酒神精神的回归！后来，在他的自传《瞧，这个人》（*Ecce Homo*，1888 年）中，尼采谈及他写作《查拉图斯特拉如是说》的经历。"如果可以追查到谁曾存一丝迷信的痕迹，那么就很难否认他是全能力量的化身、代言者和媒介。"

诚然，这是一个诗人而不是哲学家的作品。尽管《查拉图斯特拉如是说》远非哲学专著，我们仍能够从中辨认出三个主要学说。

1. 超人

2. 权力意志

3. 永恒轮回

> 这些观点源于，

> 对人的极度厌恶。人是一种无形式，一种原料，一块需要雕琢的丑陋石头。

查拉图斯特拉的任务，就是诊断时弊并为更好的未来指明方向。

尽管查拉图斯特拉的学说是这本书的精华，文本的大部分旨在对现代人进行无情的精神解剖，呈现其价值观与信念的空虚。这是一幅虚无主义的、反生命的社会图景，这个社会催生平庸，怀疑独创。

查拉图斯特拉看到他周围的普遍萎靡。

对生命的**冷漠**（虚无主义）。

道德（与宗教）的**虚伪**。

对未知的**恐惧**。

论虚无主义

才智使人疲倦，什么都不值得，什么都不渴望！

这一随处可见的、虚无主义的信条是过度学习的结果。

过多的信息使精神消化不良。如果我们在这条路上远行，我们应"使自己的理性停止发声"，这是通往**虚无主义**的道路。真正的知识必须对人类的行动是**有用的**。

论道德的虚伪

信仰"道德"是一种虚伪的形式。当人们说"美德是必要的"时，他们真正说的是"警察是必要的"，因为他们渴求的是一个安静、有序、安全的社会，在此他们能够被很好地照料。

更糟的是，他们希望能够因行道德之事而从他们的上帝那儿得到**奖赏**。这是对美德的爱吗？

> 我完全是一具肉体，其余什么都没有，而灵魂只是肉体中某部分的名字！

"病人和濒死者——是他们轻视肉体和大地，发明出天国和具有救赎力量的血滴，但是，即便这些甜蜜而又让人无法接受的毒药也是他们从肉体和大地那里借来的！"没有肉体，"身处天国般"的狂喜怎么可能感受得到？

论恐惧

"现如今，小人（群众）成了陛下和主人，他们鼓吹谦恭、顺从、审慎、勤奋、体贴……"

这背后潜藏着对行动、冒险、探索自己命运的恐惧。对渴望太多和直面失败的恐惧。

> 他拥有了解恐惧、却掌控着恐惧的心，它看到了深渊，却以**骄傲**凝视。

现代对痛苦和受难的恐惧，只显示出我们遭受的苦难还不**足够**。所有的知识都需要付出代价。

什么是"超人"？

尼采"质的进化"的想法，为常被误解的"超人说"（超级人物[Ubermensch]或超过人类[over-man]）铺设了道路。这一术语在古希腊讽刺作家**琉善***（Lucian，约125—约192）的作品中以hyperanthropos（超人）的形式出现，且在**歌德**（J. W. von Goethe，1749—1832）《浮士德》（Faust）的第一部分也曾出现。我们常以进化论的术语理解它——一种迈向新生命形态的必然发展过程。

但是，这是达尔文主义对超人的误解……

 *又译卢奇安或路吉阿诺斯。——译注

查拉图斯特拉认为，超人绝非必然出现——也远非对人类精神的极限挑战。诚然，超人可能**永不**会被实现，但尼采强调我们有义务为达到这种状态而抗争。

我向你教授了超人说。人是被超越的东西。你为超越他做了什么？

超人是地球的意义。让你的意志说：超人应成为地球的意义！

自我掌控

 有时，尼采会使用一个看起来是达尔文主义的意象："对人而言，猿是什么？一个笑柄或令人痛苦的难堪。人对于超人而言，也将如此——一个笑柄或令人痛苦的难堪。"

 但这个"难堪"不是某种劣等基因的化石般的祖先，而可以是一个独立个体一生中变化的结果。

对人类的"超越"，实际上是对自己的超越——控制自己的欲望并创造性地利用自己的力量。

超人最伟大的创造就是——他自己。

我们可以与基督教的规划进行一个讽刺性的对比，即基督教追求在灵魂救赎的过程中克服人类的弱点。但这本书的前几页就提醒我们："这怎么可能！这个森林中的老圣徒还不知道**上帝已死**。"

人的伟大之处在于他是一座**桥梁**而不是一个终点，人类的可爱之处在于他在**跨越**而不是沉沦。

只有最负雄心的规划才能填补上帝已死的空白——超人说是遗留给我们唯一可能的正道。

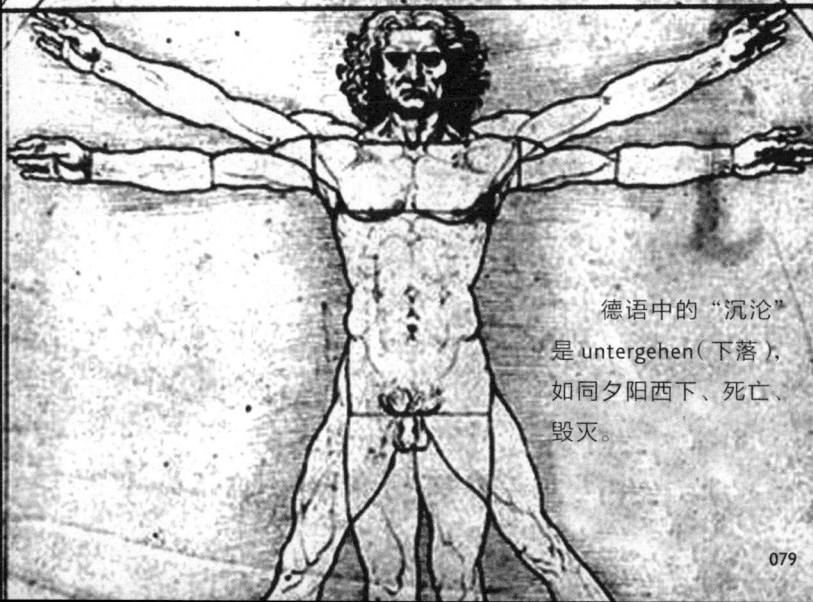

德语中的"沉沦"是 untergehen（下落），如同夕阳西下、死亡、毁灭。

后来，在《道德的谱系》中，尼采将超人与贵族精神联系起来，即那些生活和意志与"对生活要求很低"的大众截然相反的人。查拉图斯特拉蔑视普通人，他们"使所有事变小。他们的种族就像跳蚤一样无法灭绝"。但若控告查拉图斯特拉的非人性，就完全没有抓住重点。

只有抛弃人，我们才能成为超人！

人类是一条绳子，搭在动物与超人之间——这条绳子横跨深渊。一次危险的跨越，一次危险的旅行，一次危险的回眸……

人类的还是后人类的未来？

查拉图斯特拉挥之不去的恐惧就是他的学说不合时代：
"乌合之众会成为主人，终日淹没在浅滩中。"在今天
或在 1883 年，超人说可能同样令人害怕。如果
是这样，那么商店经理将继承地球！

> 他们把在新法条中书写新价
> 值的人钉在十字架上，他们为了自己
> 牺牲了未来——他们把整个人类的
> 未来钉在了十字架上！

如此，我们人类（你和我？）将紧握我们的
幸福、我们的安慰和我们的神。精神的疲倦折磨
着我们，"可怜而愚昧的疲倦，甚至不再渴望着
渴望：这创造了众神和来世"。

权力意志

　　显然，超人说的艰巨任务依赖一种心态，一种尼采发现他自己的文化中缺失的心态。这种态度强调超乎寻常的勇气。查拉图斯特拉将这称为**权力意志**（the Will to Power），尼采在叔本华那儿发现了这一观念。

一切生物最根本的驱动力是生存意志。

但这种意志之外可能潜藏其他冲动。

　　任何生物以任何原因故意冒生命危险地活动，就是在否认"生存意志"。在这种情况下，这种生物显示出了某种更根本的意志——权力意志。

表面上，权力意志的观念暗示了一种粗糙的原理——最强者的胜利。但根本上，这是一种人类行为的心理原则，即所有存在者都渴望扩大其活动和影响的范围，以巩固自身。

　　在"自我超越"一节中，查拉图斯特拉说："较弱的意志说服自己服务于较强的，它的意志仍想要掌控那些更弱的，它不愿放弃这种乐趣。"

当较弱的屈从于较强的，它可能掌握了最弱意志的快乐和权力，最强的也是这样，屈从并为了权力赌上——生命本身。

　　意志越强大，赌注就越高，甚至最弱的能够"经由通往城堡的密道或甚至是通往更强大的内心的密道——窃取他们的权力"。

自我顺从

意志能够超越最强大的力量，但最难的就是**超越其自身**："一个不能顺从自己的人将被命令。"

> 命令比顺从更难，……因为命令者要为所有顺从他的人承担责任，而他会被这份重担轻易压垮。

命令比顺从困难，还因为权力意志必须从**自己**内部找到行动的原因，而不是去别处寻找。难怪尼采将这个称为哲学"困境"——因为要对每个行为负全部责任，也同时要求为那一行为创造自己的**价值**。

自由精神

　　显然，能够完全体现权力意志的更高级的人或"自由精神"还没有出现，尽管尼采宣称某些历史人物确实贴近了该理想——凯撒、歌德、拿破仑。

　　批评家通常在这些主张中看到的是一个自私、自利、自大、无耻的个体。但尼采不会允许将这些算作是反对他立场的言辞。

> 天真的人听到我这话可能会很不高兴，不过我还是认为，利己主义属于高贵灵魂的本质，它的基础就在万物的基本法则中。

　　至于对"自利"的谴责，他可能会这样回答："除了我们自己，我们还应希望为谁服务？"在此，同别处一样，我们在显微镜下看到了他的老对手基督教伦理学。

时间的循环

查拉图斯特拉的第三个学说——万物的永恒轮回——显示了他个性中更人类（而不是超人）的一面，这为我们因失去我们的神而产生的被遗弃感提供了一种形而上的安慰。

在"幻象与谜"中，查拉图斯特拉描绘了两条道路。

> 一条指向过去，另一条指向未来，它们在交叉路口相遇，而我现在就站在这里。

大门上题写着"这一秒"。他的背后是一个永恒，而另一个永恒又再次在他前方显现，他卷入一系列无尽的重复事件中，无法逃脱。

但我纠缠其中的复杂原因将重现——它会再次创造我！我是永恒轮回的这些原因的一部分。

我将归来，与这个太阳、这个地球、这只鹰、这条蛇一起归来——而不是一次新生或去类似的生命中。

我将永恒地返回到这个同一的、完全相同的自我的生命中，在最大和最小的事件中，再次教授一切事物的永恒轮回。

悲观的安慰

如果说"永恒轮回"向我们保证了一个永恒，但它并不是一个拥有"圆满结局"的永恒——因为它根本没有给出结局。就像希腊神话中对西西弗斯（Sisyphus）的惩罚一样，我们的惩罚是所有事情都永远可怕地重复着。没有意图和结局——这是一种无意义的形式，它遥相呼应着叔本华哲学中的"无止境的欲望"——为查拉图斯特拉其他方面令人快乐的说教暗自增添了悲观的意味。

在此，我们再次发现了对"这一秒"的强调，对我们当下的**行为**和**意志**的强调，随后发生的一切都永远和当下紧密相连。

但叔本华宣扬放弃的地方，我教人反抗，因为超人和权力意志主要是肯定生命的教义。

瓦格纳的影子

完成《查拉图斯特拉如是说》第一、第二部分不久后，尼采听闻了瓦格纳的死讯，他的余年都将与瓦格纳的鬼魂纠缠不清。

他是至今我所知最完美的人。

在一封给彼得·加斯特的信中，尼采诉说了与他曾最尊敬的人成为敌人是怎样的艰难。即使瓦格纳最终对伟大的欲望并不真诚，但他还是体现了"更高级的人（higher man）"的美德。尽管瓦格纳有反犹倾向，信仰基督教又背信，但尼采永远不可能完全放弃他。他的死徒增了尼采与世界的割裂感。

德国人与犹太人

至此，尼采抛却了所有回到德国生活的想法。第二年，即 1884 年，他在苏黎世见到了他的妹妹。

我在巴拉圭嫁给了一个殖民主义者，伯纳德·福斯特先生（Herr Bernard Förster），他因反犹太主义观点而出名。

而我反对这桩婚姻。记住我的箴言——"不要和参与虚假种族诈骗的人交往"。

尼采愈发认定所有愚蠢的行为都与德国人的特性有关，他屡次捍卫犹太人，使其不受德国种族主义的侵害。"犹太无疑是现如今欧洲最强大、坚强、纯正的种族。"

他说，把犹太人当作一切可能的公共不幸事件的替罪羔羊献祭，这简直愚蠢至极。他将这称为"基因谬误（genetic fallacy）"——根据一个人的血统，而不是根据其行为来评价他。他观察到"每个国家、每个个体都有令人讨厌的甚至危险的品质。要求犹太人成为例外便太无情了"。

至于犹太民族的文化，他说："犹太人，包括海涅（Heinrich Heine）、奥芬巴赫（Offenbach），他们在艺术领域几乎是天才。"但对犹太民族的道德，包括基督教，他都严厉地批判。

反德国

德国人为热爱格言警句的尼采提供了丰富的素材。

在德国，糟糕的写作被视为民族特权。

德国人有能力创造伟业，但不可能实现伟业，因为只要可能，他就会顺从，来迎合他与生俱来的懒惰头脑。

德国精神患了消化不良。

我在德国遇见的少数具
备高等文化的人，祖上都是
法国人。

德国人极好地掌握了文化知识，
但他们没有教养。

过去四个世纪每次对文化犯下的
大罪都取决于德国人的良心。

无论德国向哪里扩大影响力，她
都败坏了那里的文化。

——如果这些评论被单独收集成
一卷，毫无疑问纳粹会将其烧毁。

善恶的彼岸

这本书总结了尼采无情反对"永恒偶像（eternal idols）"的活动。至此我们应该知道他指的是哪种"偶像"了。在《偶像的黄昏》（Twilight of the Idols，1888 年）中，他谈及"用锤子进行哲学推断，**好比用音叉那样**"检验这些永恒的偶像是否空洞。

> 没有什么比偶像更古老、更虚伪……这并不阻碍他们成为最受信任的……

道德

科学

宗教

真理

尽管《善恶的彼岸》在 1885 年至 1886 年吸引了尼采大部分的注意力，我们还是应主要将它作为一个导论，即对随后影响深远的、对道德进行分析的《道德的谱系》的导论。

哲学的欺骗性

一提到"真理"这个词，哲学家们就开始发出"一种强有力的、道德的噪音"。鉴于希腊语"哲学家"的词义（爱智慧、爱真理的人，*philo* = lover [of] *sophia* = wisdom, truth），这不足为奇。但是哲学家们宣称自己对真理的所有权，这真是毫无根据。

真理就是这样一种谬误，即如果没有它，某种生命不可能存在。最终，生命的价值是关键性的。

哲学家们相信，他们的理论是通过冷静、客观、理性的过程创造出来的——通过"冰冷、纯粹、神圣不可侵犯的逻辑论证"过程，他们喜欢将这一过程与神秘主义者或其他人的主观的、不可靠的努力做对比。

然而事实上，某种欲望、偏见、灵感或"心灵的欲望"总是先于哲学家的思考——也就是说，他们将一种不理性的需要或信仰变得抽象，并以理性进行辩证。或者正如法国数学家、哲学家**布莱兹·帕斯卡**（Blaise Pascal，1623—1662）恰到好处地说的那样……

心灵有其自己的理由，那是理性所不知道的。

简单地说，哲学就是为道德信仰、直觉、欲望穿上了理性、辩证的外衣。

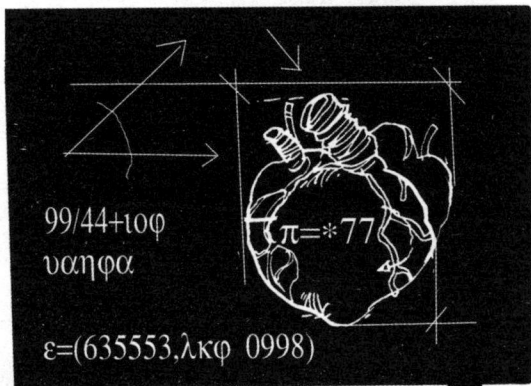

$$99/44+\iota o\varphi$$
$$\upsilon\alpha\eta\varphi\alpha$$

$$\pi=*77$$

$$\varepsilon=(635553,\lambda\kappa\varphi\ 0998)$$

康德和他的"二律背反"、**巴鲁赫·斯宾诺莎**（Baruch Spinoza，1632—1677）和他的几何学方法与公式，根本上说都是"老道德家和道德说教"。尼采并非想暗示哲学能够表现这些有限活动之外的东西。他只是希望哲学家认识到他们"研究"的真实性质。

更好的自知不会导向更有效的理论，但至少它会在我们进行哲学探讨时，为我们真正在做的事提供一个更加清晰的画面。

或者就像英国哲学家 **F. H. 布拉德利**（F. H. Bradley，1846—1924）说的那样："形而上学是在为我们靠直觉相信的东西寻找拙劣的理由。"

谈宗教

在此,我们发现尼采清晰地揭示了宗教的本性和有组织宗教(基督教,佛教等)的目的。我们可以用"神经症"来代替"本性",因为尼采在宗教中没有看到任何符合本性的东西。

宗教的本性遵循自我否定的路线,采用独处、斋戒、禁欲的方式。

历史见证了许多次宗教的"传染病"——例如,宗教裁判所、基要主义(fundamentalism),但在某种程度上苦难一直存在!

它最伟大的现象便是**圣徒**，即便最伟大的领袖也尊重他们。在圣徒中，他们看到了最强大意志的力量——如此强大，以至于能够忍受最强烈的自我否定。

> 他们给圣徒加上荣誉的同时，也为自己身上的某种东西加冕，

> 那东西就是：自我掌控和权力意志。

谈信仰

宗教要求我们的"信仰"是什么？尼采用帕斯卡的例子回答了这个问题，帕斯卡的宗教信仰对他的思想视域造成了严重的限制。

> 被诅咒者的一个困惑将是，一方面他们将遭受自身理性的谴责，另一方面，他们又一直凭借理性反对基督教。

> 他的信仰从不好的角度说，就像是一种针对理性的慢性自杀。

"基督教的信仰从一开始就是牺牲：牺牲所有自由、所有骄傲、所有灵魂的自信，同时是自我奴役、自嘲、自残。"

丹麦哲学家**索伦·克尔恺郭尔**（Søren Kierkegaard，1813—1855）将信仰称为一种"神赐的疯狂"，一种要求"跨越（leap）"理性能力之上的"荒谬"。他是尼采批判的另一个枪靶。

一个根本不存在绝望的情况，也是信念的配方，……自我显然扎根于构成它的力量中。

再次自我牺牲——在这种情况下，从绝望中解救他的灵魂！

利用苦难

讽刺的是，当宗教为普通人服务时，它备受赞赏。大多数人都从宗教教义中得到了极大安慰。

顺从和谦卑的人应与大地上最尊贵的人同列……

上帝眼中众生平等……

我们现在承受的苦难是未来幸福的保证。

满足感。当这么多好处摆在面前的时候，要有很强烈的意志才能说出"不"……

弗洛伊德《幻象之未来》（*The Future of an Illusion*，1928 年）详细解释了尼采哲学的这一观点。

上帝是人类创造的幻象，当人类超越了他们的父母，父母不再能够保护他们的时候，上帝可以对着他们无助的脸安慰他们。

论道德的自然志

尼采在为《道德的谱系》一书的诞生打基础。在一系列敏锐的观察中，他把数千年来塑造了今日道德观的所有现象进行了详细分析。他发现了一种**前道德（pre-moral）的状况**，这一状况由人类的群体生活或者社会生活所产生，这里有必要全文引用。

"自有人类以来，就存在人类的群体（家庭、社区、部落、民族、国家和教会），而且总是大多数人顺从，少数人发布命令。也就是说，迄今为止在人类当中，**实践和培养得最好且时间最久的一种品质就是顺从**。因此，有理由认为，一般来说，对于顺从的需求在今天已经内化为一种形式上的良心，它不断发出命令：你应当无条件地做什么，无条件地不做什么，简言之，'你应当'。这种需求渴望被满足，渴望用内容填满它的形式：在这样做的过程中，它根据自己的力量、不耐烦和紧张的程度，毫无区分、不加挑选地疯狂捕捉和接受来自一切'指挥官'——父母、老师、法律、阶级偏见和公众舆论——的高声命令。"

作为奴隶的统治者

　　尼采指出，那些命令者总是声称自己代表**更高的**权威——祖先、正义、法律，或者甚至是上帝，他们用这种方式来捍卫自己在集体中的权威地位。这时常涉及大量的自我欺骗和低劣的信仰。伊丽莎白二世是英国"信仰的守护者"。美国总统是"人民的第一公仆"。

事实上，正好相反：畜群被命令，但在意识层面上他们却情愿不这样想。

恶

在《善恶的彼岸》中，也发现了尼采最后的箴言。尽管书名如此，但此时"恶"的概念还不是他的中心思想。它与基督教的道德观紧密相连：在更早的（前道德？）时代，这一观点毫无用处。

> 一个时代感觉是恶的东西，通常是从前感觉是善的东西生不逢时的余波——一种早期理想的返祖。

> 尼采返祖的想法使我的绘画在 1907 年有了突破性的进展，《亚威农少女》(les demoiselles d'avignon) 走向了立体主义 (cubism)。

毕加索

因此，魔法、无神论、对虚假神的崇拜（撒旦主义？）、非理性的行为（精神分裂症？）、色情——在这个或另个时代的集体视角中，均被列为"恶"的现象。这是因为他们将个人提升到集体之上，因此威胁了大多数。让那些威胁被称为恶吧！

在这一作品中也阐述了尼采
某些最深奥的心理学箴言。它们
不总是只有一个解释。

论疯狂

就个人而言，疯狂甚为
罕见——但在群体、党派、
民族和时代中，它是
规则。

与恶龙缠斗过久，自身也成为恶龙。
凝视深渊过久，深渊也将回以凝视。

论爱

基督教给爱神喝了毒药——他没有因此而死，确切地说，他堕落成了罪恶。

因爱之名，所行之事，凌驾于善恶之上。

神 vs. 爱

悲剧感随着声色而增减。

丘比特

107

论真理

当一个人传递了知识，他就不再那么爱他的知识了。

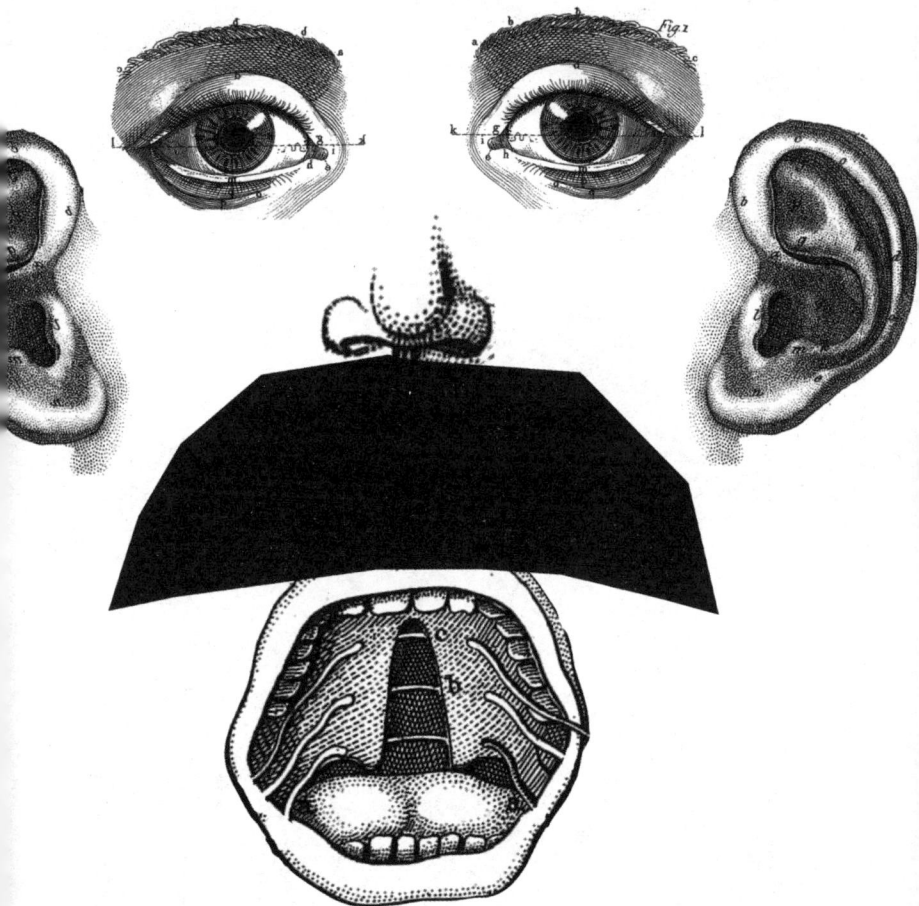

所有公信力、所有良心和所有真理的证据都只从感官而来。

你想教授的真理越是抽象，你就越是必须设法让它更吸引感官。

我们看到了尼采论道德最有名的箴言：

"根本不存在道德现象，只存在对现象的道德阐释……"

至今，这个激进主张仍持续回响着，并以各种方式重现。对于科学的无神论来说，这暗示着只有物质或物理世界才能被认知和学习。

道德是无意义的。或正如维特根斯坦说的那样……

根本不存在伦理学的命题。

对于精神分析学家来说，根据**雅克·拉康**（Jacques Lacan，1901—1981）的学说，它提出了说话主体的**欲望**（desire）问题。

对于宗教人士来说，尼采是魔鬼的代言人！

所有的阐释都要以一种欲望作为基础。

对于马克思主义者来说，这是意
识形态理论的一种表达。

一方面我们有事件，另一方面
我们又有人类对这些事件的
阐释（但只有一种版本是正
确的）。

对于无政府主义者来说，
"不存在道德法律，所以一
切事情都应被允许"。

对于后现代主义者来说，它构成了
文化崩溃的另一个例子——伦理与
宗教"宏大叙事"的终结。

如果我们紧随尼采，问问他为什么否认"道德现象"有任何实际地位，我们会想到他所强调的**任何**一个道德体系都有一个真实的目的——控制人类的行为。

> 所有的道德都是偏护的。正如任何法律体系都会支持某种行为，而反对其他的。

> 然而我们认为现象是独立于人类思想的。

当然，我们的思想会企图将现象如其所示的具体化（创造一个人类视角下的世界），但尼采强调，我们不认为我们通过努力创造的这一作品本身拥有任何的客观地位。因此，"不存在道德现象"。

主人与奴隶

至此，尼采在道德感的历史中发现了一个中心裂谷，它存在于那些接受并顺从道德准则（并为了自我保护而欣然接受它）的人和那些（少数）不接受权威而听从自己的人中间。这对群体的关系是一种好似**主人**与**奴隶**的共生关系。尼采指出这种分类方法并不完整。诚然，这两面能够在一个单独的个体中不快乐地（？）共存。这否定了哲学家 **G. W. F. 黑格尔**（G. W. F. Hegel，1770—1831）提出的经典的主人与奴隶的关系，即认为两方面是相互独立的。

> 我认为，奴隶逐渐走向主人才拥有的独立。

> 不，相反的才是事实！

尼采认为，千年来，奴隶心态以一种愈加无法缓和的方式反抗着主人，由此也深化并完善了自身。这种反抗永不会超越真正的"自由精神"具有的"权力意志"。

贵族的伦理

在贵族文化例如古希腊文化中，伦理学中"自由精神"的原型找到了源头。在此，"善"的观念与"被认为是特别的且决定了等级秩序（也即社会秩序）的，高尚的、自豪的灵魂状态"相连。

在这种文化中，没有**善、恶**（good/evil）的观念，取而代之的是**高贵、卑贱**（noble/ignoble）。这些术语是用来形容人而不是行动的。

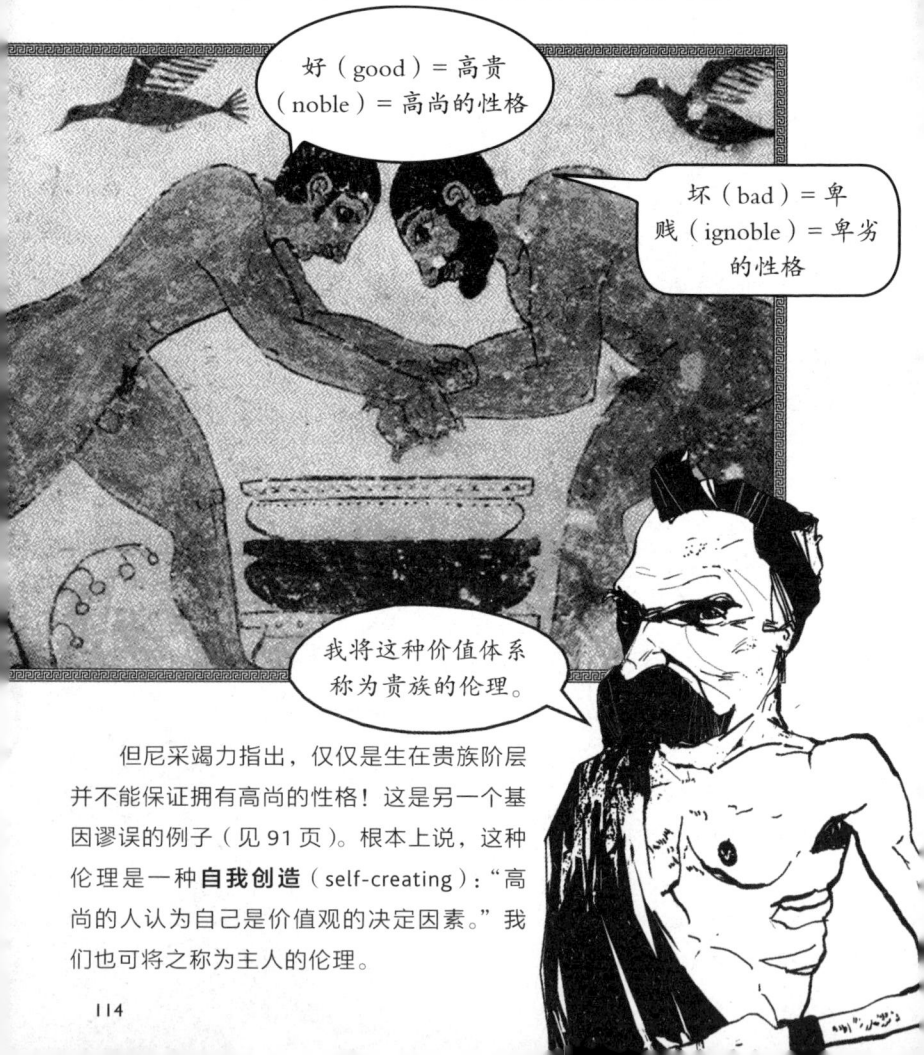

> 好（good）= 高贵（noble）= 高尚的性格

> 坏（bad）= 卑贱（ignoble）= 卑劣的性格

> 我将这种价值体系称为贵族的伦理。

但尼采竭力指出，仅仅是生在贵族阶层并不能保证拥有高尚的性格！这是另一个基因谬误的例子（见 91 页）。根本上说，这种伦理是一种**自我创造**（self-creating）："高尚的人认为自己是价值观的决定因素。"我们也可将之称为主人的伦理。

奴隶的伦理

尼采在《道德的谱系》中更全面地研究了奴隶的伦理，以一种完全不同的方式阐述了"好""坏"的观念。

好（good）＝奴性的（slavish）＝脆弱、谦逊

坏（bad）＝邪恶的（evil）＝对较弱的大多数有害

完全倒置了贵族的伦理！

最终，这是一个简单的选择。我们要么为自己建立自己的价值观，要么（不情愿地）遵循别人的价值观。在历史上，奴隶的伦理占主导地位，但是我们偶尔发现有超越它的意志，因此走向了"善恶的彼岸"。

离群索居

　　尼采活着的时候，他的书在德国几乎没什么人读。他找不到出版商出版《查拉图斯特拉如是说》的第四部分（"为一切人又不为任何人所作的书"，1885 年年初完成），因此他自掏腰包印刷了四十份。尽管如此，他只找到了七个读者！直到 1888 年，他向他的朋友塞德利茨男爵抱怨道……

看看我亲爱的德国人！我今年已四十五岁，已出版大约十五本书，但至今没有一个德国人对我的任意一部作品写出还算不错的评论。

　　自此之后，尼采的作品在法国、斯堪的纳维亚开始得到共情的回应，但他比从前感到更孤单了。在一封写给妹妹伊丽莎白的信中，他说："一个见识深刻的人需要朋友，除非他信上帝。我不信上帝，也没有朋友。"

1888 年，在另一封写给妹妹的信中，尼采以一种高傲独立的口吻诉说着他的使命。"你看起来丝毫没有意识到这个事实，你是命中注定要决定这千年命运的人的亲戚——不夸张地说，人类的未来就在我的手中……"

他的一位老同学欧文·罗德现在是莱比锡的著名哲学教授，评论了他最终崩溃前的重要岁月。

他的整个存在都有一种无从描述的陌生的痕迹，这使我感到厌烦……他似乎来自无人之境。

德国人太愚蠢了，配不上我崇高的精神！

尼采开始对一种神秘的爪哇毒品（鸦片？）上瘾，他借此来减轻与日俱增的疼痛和失眠。在这种凄惨的境地下，1887 年的夏天，他仅用十五天便写出了其最具影响力的作品——《道德的谱系》。

道德的谱系

　　这部伟大作品的序言中，我们发现我们追求的一切知识中，至今为止最难实现的就是**自我的认知**。公理言，"每个人都离自己最遥远"，这似乎永远是真的，但尼采始终保持着超越这个知识"最后边界"的积极性。

　　在这种情况下，《道德的谱系》代表着理解人类心理学的重要一步，因为它公然追求的仅仅是揭露价值本身创造的真相。

> 在什么情况下人类构建了善与恶的价值判断？它们的内在价值是什么？

　　这是一个一箭双雕的课题。

　　1. 道德观念的历史与分析，这反过来基于，2. 心理学批评——人类怎样得出这些道德原则？

　　尼采随后说，这本书囊括了"……令人非常不愉快的真理，在远处喃喃自语而被听到"。为什么稍后的心理学家效仿尼采的怀疑观，这原因显而易见。永远不要接受人们表面的论证，因为它试图遮掩他害怕面对的东西：某些"令人非常不愉快的真理"。

怜悯的伦理

首先，尼采开始怀疑他称为"无自我本位的那些本能"——怜悯、自我否定和自我牺牲——因为在这些品质中，他感到了"停滞、怀旧的疲劳、和一种**反对生命的意志**"。（这些品质中表现出的**疲倦**［ennui］或反生命的感觉导向了**虚无主义**，他将**虚无主义**比作一种严重的衰竭性疾病。）

> 所有"无自我本位"的品质中，我认为最根本的"反对生命"的本能是怜悯，因为怜悯他人时，我们削弱了自己。在任何意义上，我们都没有从怜悯的对象中得到好处。

怜悯不利于人类发展，因为它试图保护适合毁灭的东西（可能反映出我们对死亡的普遍恐惧——即使是对最弱者的死亡）。

当代对安乐死、堕胎和每种医学病理学的道德辩论与论证，都重点关注怜悯这一价值问题。

从维多利亚时代对"善行"、慈善活动的热爱，到如今东拼西凑的慈善基金，我们看到**怜悯的伦理**已经遍布西方社会的每个角落。

当然，西方读者几乎不需要被提醒的是，怜悯也是基督教的重要观念。

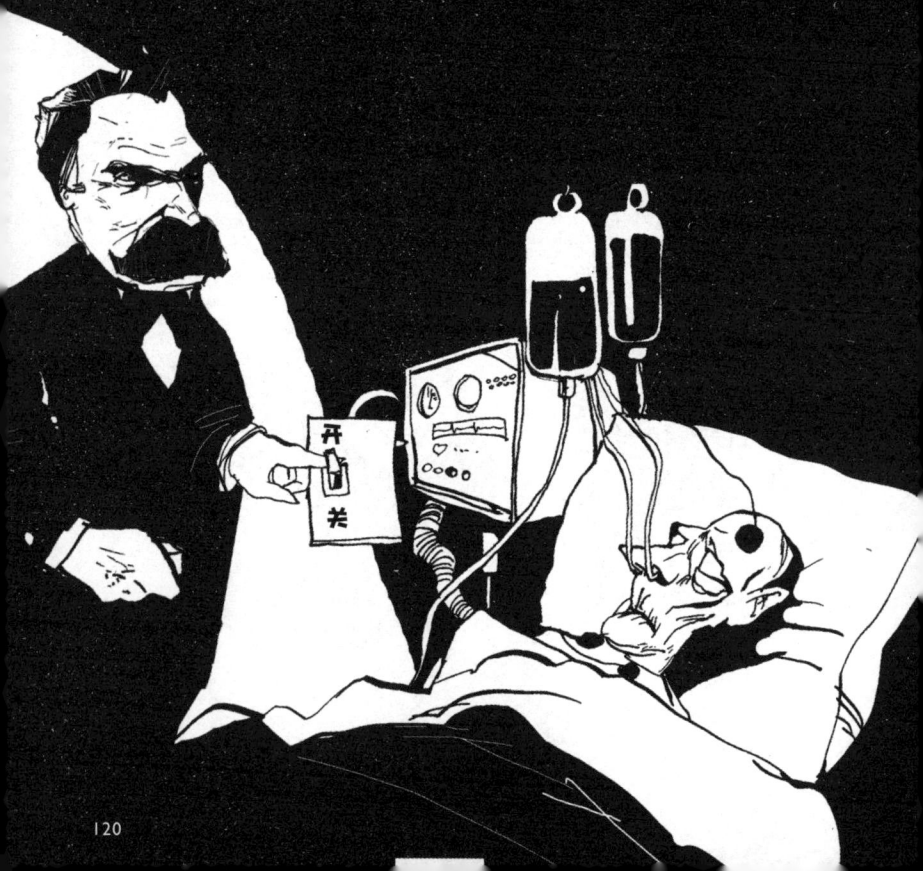

开

关

伦理中奴隶的反叛

尼采对"怜悯"的观察导向了一个定论，即这种道德观念确实对我们的心理健康有害，但它却是现代"文明的"社会道德思想的核心部分！

> 对这种反生命观念的普遍高度崇敬，代表着奴隶伦理的胜利——弱者的道德压抑着历史中的大多数。

这种反叛可追溯到犹太基督教思想的起源。其领袖是僧侣阶级，他们的成就在于人类将不幸理性化，并压抑本能需求的能力取得了成功。从根本上来说，这是一种**智性**的胜利。

神父的原罪

尼采对僧侣态度严厉，他认为他们是历史上最伟大但也是最聪明的**仇恨者**（嫉妒的人）。作为较弱的多数者的领袖，他们的能力不在于结实的臂膀，相反，他们必须依赖精神力量。

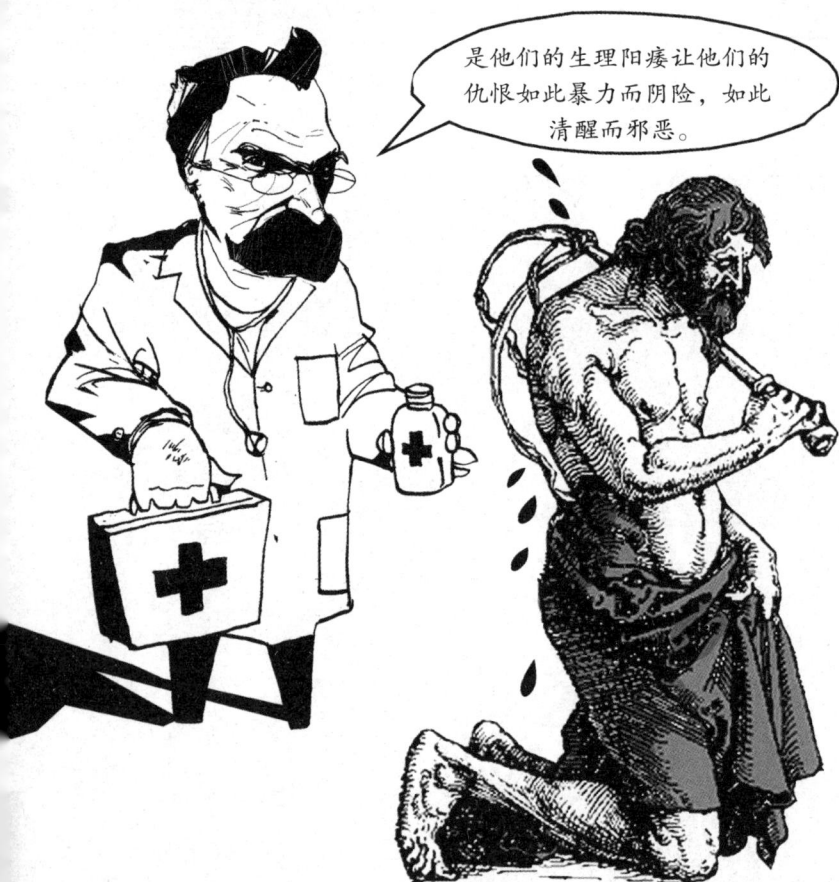

是他们的生理阳痿让他们的仇恨如此暴力而阴险，如此清醒而邪恶。

这一阶级的复仇将是最精彩的复仇！但悖论在于，只有通过僧侣阶级，人类的智慧、精明、深度才能得以发展。正是在僧侣存在的土壤上，许多美好的人类智慧的创造物才开出花来！

奴隶的伦理：价值逆转

也许僧侣阶级最独创的行为就是创造了一套新的价值体系。借助逆转的过程，他们接受了他们统治者（最强大、有力的）的贵族观念，并将其变成与之对立的——最大的恶行或"原罪"。

> 这一独创性的举动创造了接下来的道德思想体系：价值的"逆转"。

贵族的伦理
胆大
健康
骄傲
等等

奴隶的伦理
温顺
受难的价值
谦逊
等等

恶的观念

一旦僧侣的**价值重估**完成，对贵族伦理的完全否认只剩一小步。

在对贵族伦理观念的否认中，僧侣阶级发展了一种更深入、精妙的观念——**恶**的观念。

胆大其实是自大，

骄傲其实是自恋，等等。

我们在此发现了心理学上压抑的观念：一个人拒绝承认其不能满足的欲望。最好把它们作为无价值的东西而抛弃！

现在，贵族与奴隶伦理之间的对立清晰地显现了。

只有穷人、弱势者是好的，只有受苦的人、病人、丑陋的人才会被真正祝福。而你们这些地球上的贵族、有势力的人将永远是邪恶的、残酷的、贪婪的、不敬神的人，因此也是被诅咒的、该死的人！

贵族精神的简单价值包含坏的观念，这几乎是一种事后思考。贵族的道德纯粹是由自我肯定——对生命说"是"——发展而来的。

贵族伦理自发地在世界上实现其意志和行动，并由此发展。它的主要观念是"善"。古雅典的统治者时常将自己描述为"我们高尚、善良、美丽、快乐的人"。在这种语境下，"坏"仅意味着缺乏肯定生命的品质。

弱者的怨恨

因此在贵族伦理中，"坏"只是一种缺失，是主要观念"善"的附加品。在奴隶伦理中，主要观念是"坏"，并被重新命名为恶。奴隶伦理开始于拒绝"外表"、"他者"、无自我，而这一**拒绝**是它的一种创造性行为。

尼采在弱者的**怨恨**中找到了奴隶伦理的源头，弱者没有能力实现他们的意志，因此被剥夺了行动的出口，他们沉浸在一种想象的复仇中，贬低他们不能仿效的东西。

对我们来说，直到上了天堂才能够满足……

反之，当一个高尚的人感到不满时，他会立刻回应，表达他的不满，吸收这种不满，因此这种情绪不会毒害他。

126

看待敌人的两种视角

这两种道德观对其敌人的看法大不相同。

高尚的人**尊重**他的敌人，他需要将敌人作为自己意志与行为的陪衬，且"尊重本来就是爱的桥梁"。

我的敌人必须与我拥有相似的品质，

一个相称的敌人。

奴隶伦理（一种怨恨的精神）所感知的敌人，是一种与其自身大不相同的存在。

理想情况下他是应当被毁灭的恶人！

在奴隶伦理中，我们看到了一种深刻的自我欺骗："满怀怨恨的人对自己也并不坦白、不老实、不诚恳、不直率。他的灵魂眯起眼睛，他的思想喜欢走密道和后门……"但这样的人将比高尚的人或贵族更聪明，诡计多端，"靠小聪明"混日子。但最后，他代表着"失败和腐朽灵魂的气味"，将为理性和情感压抑付出高昂的代价。

良心的起源

尼采谴责了人类良心的现实，以及与之相随的**内疚**（guilt）或良心不安的现象。（已被证明，**良心**，内心深处的思想，主要涉及判断对错的感觉。）

我们可能会将良心视为一种人类的特性，但《道德的谱系》表明，它是人类心理学历史中一个相对新近的产物。它与依赖于压抑**本能**和发展**理性**的社会结构和立法同时发生。

这一进化中的跳跃，远离我们的动物天性，发展为**智人**（Homo sapiens，从拉丁语而来，"wise man"）的运动，已成为我们最大不幸的原因。

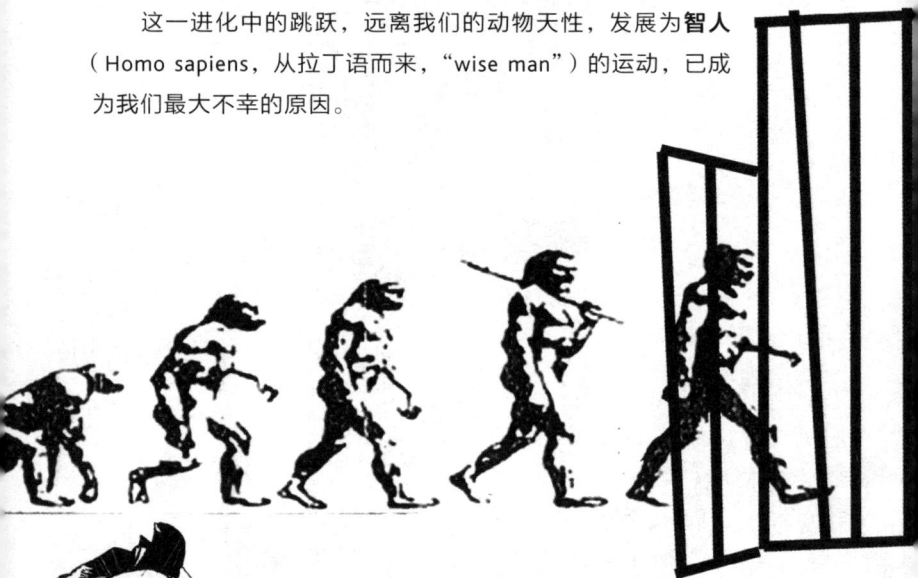

> 所有不允许自由发挥的本能都转向了内在。这就是我们所说的人的内化；它独自为随后被称为"人类灵魂的发展"的现象提供了土壤。

正如肆意游动的海洋生物被迫离开自己的自然栖息地去适应陆地，发觉自己并不适应新环境一样，我们也发现新习得的"道德感"阻碍了我们的行动，让我们不像从前那样自由。这种对我们古老本能的"宣战"是不健康的。

意识之病

尼采深深崇拜着俄国小说家**费奥多尔·陀思妥耶夫斯基**（Fyodor Dostoyevsky，1821—1881）。1880 年，在写给彼得·加斯特的信中，他说，"我非常认同一个心理学家"。在另一封信（1886 年 3 月 7 日）中，他提到了陀思妥耶夫斯基的中篇小说《地下室手记》（1864 年），一场奇怪、充满可怕洞见的告解。这个故事中无名的非传统式英雄，因自我意识的疾病而去探索极端的痛苦与无力："我是一个病人。我是一个愤怒的人。我是一个没有魅力的人。我认为我的肝脏有病……"

先生，现在我想告诉你，……我为什么还不能变成一只昆虫！……有意识就是一种疾病。……这个不快乐的 19 世纪的许多有文化的人，对于人类的日常需求来说，拥有他们意识总量的四分之一就足够了。

尼采试图根除最后一行基督教教义，陀思妥耶夫斯基本质上是一个秘密的不信神者，却激烈地寻求一种基督教认同的生活。他们都在人类的极限中寻找存在感，他们也都是**存在主义**（Existentialism）的先锋。

"变成一只虫"在**弗兰茨·卡夫卡**（Franz Kafka，1883—1924）的《变形记》（*Metamorphosis*，1912 年）中成了一个噩梦般的现实。主人公格里高尔·萨姆沙"真的"变成了一只甲虫，这可以视为病态意识最终的物化。

卡夫卡预言了存在主义者"荒诞"的境遇，可见于**阿尔贝·加缪**（Albert Camus，1913—1960）的《局外人》（1946 年）。

"善"的起源

奴隶伦理中隐含的"善"的观念，依赖于**利他主义**理论，亦即任何对他人有利的行为都是"善良"的例证。我们再次看到了奴隶自损的品质，他们为了公共利益牺牲自我利益，与某些昆虫群落的行为相差无几。

因此，"善"等同于世界上某些特殊行为。**自然主义伦理学**延续了这种根本性的错误，试图证明在某些特殊**行为**中，善良是与生俱来的。

这些理论永远不能处理**适时**而变的行为，举例来说"仁慈是善的"。

当一个敌人的首要目标是不惜一切代价杀了我的时候，这个说法就不是非常合理了。

毫无疑问，利他行为会被利益接受者赞扬。但为什么这些行为的实施者一开始就应该想到自己要是"善"的呢？

"善"的起源一定来自其他方向，一种要求我们用**历史**意识来看待道德发展的方向。在此，尼采提醒我们古代贵族拥有为物命名的权利——这是一种表现统治者力量的方式。"他们说，'这**是**什么或什么'。他们用声音把每种物和行为封闭起来，从而占据其象征意义。"

> 因此，"善"是那些贵族、有势力者**性格**的反映，他们定义并规范了社会集体的行为。

"善"的语源或**词源**也显示出它与强壮有力集体的联系。德语中，**schlecht**（坏的）和**schlicht**（简单的）两词紧密相关。"很长一段时间前一个术语（schlecht）与第二个（schlicht）是可以相互替换的，至今仍不带有任何贬义，仅仅指明平民与贵族的区别。""坏"的观念与"普通""平民"或"基础"的概念相连。另一个例子是，"创造价值"是贵族才能做的事情。

禁欲者的理想

最后，让我们尝试回答这个问题，为什么奴隶伦理如此成功。为什么僧侣阶级禁欲者的理想仍对这么多人具有如此可怕的诱惑力？答案就潜藏于禁欲主义教义的功能中："禁欲者的理想来源于保护、治疗一个堕落并为自身的存活而猛烈抗争的生命的本能。"

禁欲的僧侣是人类苦难的安慰者。他对苦难做出解释，使疾病易于忍受，他为苦难赋予**意义**。

> 这种意义可能相当虚假，但这并不减损它安慰受难者的力量。僧侣怎么回答"信众的"抱怨呢？

> 我们为什么受难？一定有原因。

> 诚然，有人应承担责任，那个人就是你自己。

奴隶伦理由此而来。**愤怒**找到了靶子，**良心**出世，**内疚**奏效。

于此潜藏着禁欲者理想的力量，它为存在提供了意义——至今唯一的意义。照此，我们只能赞赏这一成就，有了这一成就，伟大的**意志行为**要求创造这种体系（尽管这是一种恶心的体系！）

简言之，这是毁灭性的**反生命**。我们只能如此总结，它代表着"虚无的意志，对生命的厌恶，以及对生存主要条件的反抗"。

虚无主义的胜利

尼采认为，禁欲者的理想和奴隶伦理组成了有史以来最折磨人的疾病（但它完全是我们自己的创造物！）。他认为这个体系是**颓废的**（decadent，字面上即"下降""背叛"）。

人类需要在存在中寻找意义——即使是一种否定人类进步可能性的消极意义——这将我们引向了尼采《道德的谱系》的最后一句。

> 宁可让人追求虚无，也不能无所追求……

敌基督者

在尼采完全清醒的最后一年（1888），他完成了两个短篇——《偶像的黄昏》和《敌基督者》。后者仍坚持攻击基督教伦理。在序言中，尼采评论道，他的读者将会需要"面对禁令的勇气"和"眺望最远处的新眼睛"。它的副标题是"所有价值观念的重估（The Revaluation of all Values）"。

当一个动物、一个物种、一个个体丧失其本能时，当它们选择、偏好那些对自己有害的东西时，我就称其为堕落。……衰亡的价值观、虚无主义的价值观以最神圣的名义占据着统治地位。

《偶像的黄昏》是尼采反讽手法的典范，从哲学角度解释了"用锤子敲打，好比用音叉一样"。在此我们看到了他著名的悖论："我害怕我们永远逃脱不了上帝，因为我们仍相信语法……"他三言两语便总结了**雅克·德里达**（Jacques Derrida）**解构**（deconstruction）的方法，也就是攻击西方传统的"逻各斯中心主义（logocentrism）"。尼采一向批判一种幻觉，即词的存在保证了词指向的真理。

柏拉图

康德

我们不仅用语言命名物，我们从源头上相信通过语言我们抓住了物中真实的部分。

尼采还为另一个影响深远的"后现代"观念提供了来源，即**让·鲍德里亚**（Jean Baudrillard）的**拟像**（simulacrum）概念或将废除现实本身当作超现实（hyper-reality）的思考。在单独的一章中，尼采追溯了六个阶段，说明"现实的世界"如何终于变成了寓言（How the "Real World" at last Became a Myth）。"现实的世界"（或"一个错误的历史"）从柏拉图的理念论开始，再到基督教、康德哲学、逻辑实证主义，逐渐变得**不可知**，直到变得无用、多余，最后被废除。"我们业已废除现实的世界：剩下的是什么世界？也许是表象的世界？"

维特根斯坦

鲍德里亚

尼采

但不是这样！随同现实的世界一起，我们也废除了表象的世界！

139

最终的认可？

此时此刻，尼采的作品正逐渐在欧洲普及。著名法国批评家**泰纳**（Hippolyte Taine，1828—1893）热烈地回应了《善恶的彼岸》（另一本尼采自己付钱印刷的书）。丹麦很有影响力的批评家、历史学家**格奥尔格·勃兰兑斯**（Georg Brandes，1842—1927）作了有关尼采哲学的讲座。伟大的瑞典剧作家**奥古斯特·斯特林堡**（August Strindberg，1849—1912）也受到了尼采思想的深刻影响。

1888年年底，尼采写给勃兰兑斯和斯特林堡的信，直接显示了他处于危险而狂妄自大的精神状态。尼采的最后一本书《瞧，这个人》（*Ecce Homo*，1888年），书名取自彼拉多（Pilate）致敬耶稣，为之戴荆冠（《约翰福音》19：5）。"只有当我诞生后，人类才开始拥有新希望。"而写给斯特林堡的信（1888年12月7日）中，尼采写道：

我将要成为新的救世主，把历史与人类从基督的掌控中解放出来。

尼采因为极度孤独和作品备受忽视的痛苦付出了太多。最终，在精神彻底崩溃前，他视自己为敌基督者，或敌基督的救世主。

1888 年 12 月 31 日，他给斯特林堡写信。

我已定下日子，在罗马召开王子会议。我会下令枪毙年轻的凯撒！

我同样给意大利国王写了一封信。"我亲爱的儿子翁贝托！愿平安与你同在。我会在周二到达罗马，并与神圣的罗马教皇一起去见你。"

尼采的崩溃

"除了我是个颓废的人这个事实外，我也是个与此截然相反的人。"（出自《瞧，这个人》）可以说尼采的每本书都是他心底对立的两方战斗的擂台。他有意地开始发掘自己身上每个可能"颓废"的品质，并随即开出药方来逐一解决这些问题。尼采思想的冷酷与其性格固有的温顺相抵触。

1889 年 1 月 3 日，在都灵的卡洛阿尔贝托广场上，他看见一个马车夫正鞭打着一匹老马。他抱住这匹马，啜泣，昏厥。尼采终于丧失了理智。

尼采精神错乱的程度仍有待商榷。他的朋友、语文学者名教授约翰内斯·奥维贝克（Johannes A. Overbec）留下了一个有趣的评论："我有个挥之不去的想法，那就是尼采是装病——这是我长期以来根据他戴上众多不同面具的习惯得出的印象。"

甚至还存在一本书，《我妹妹与我》（*My Sister and I*），据说是尼采晚年在魏玛（Weimar）写的，他的妹妹伊丽莎白·尼采（Elizabeth Förster-Nietzsche）在那里照顾他。她在她丈夫自杀的六年后，即 1895 年从巴拉圭回来。

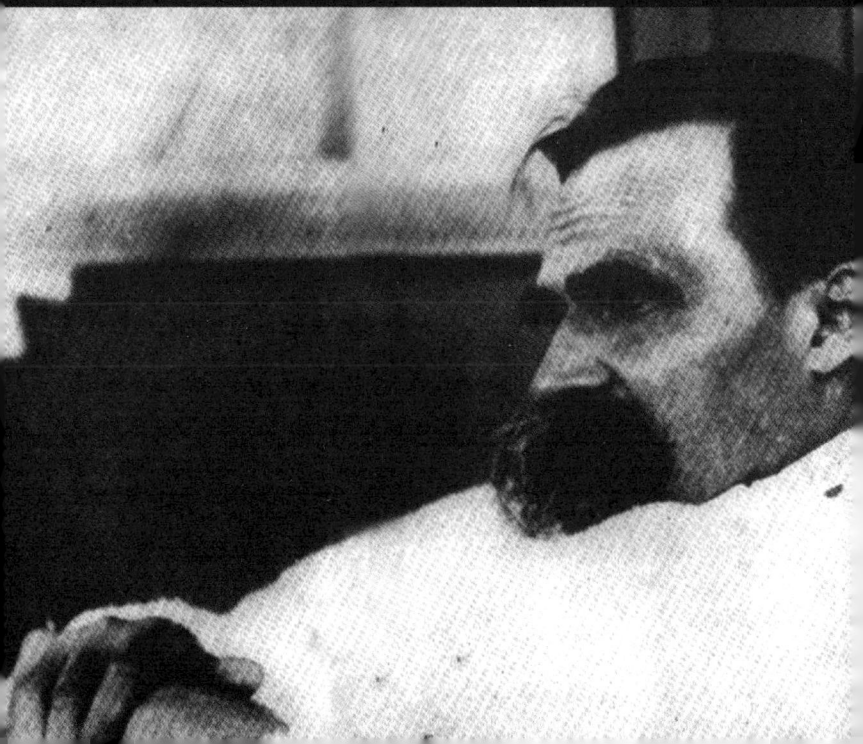

崩溃后近乎十二年，1900 年 8 月 25 日，尼采因肺炎于魏玛与世长辞。

在墓旁的简短悼词中，彼得·加斯特可能不知不觉地实现了尼采的第一个预言。

我有一种不祥的恐惧，有一天我会被称为神圣的。

尼采被安葬在他出生的地方——洛肯村。

尼采与纳粹

尼采的妹妹伊丽莎白拒绝了彼得·加斯特编辑、校订尼采的许多未公开出版手稿的请求、她完全控制着她哥哥的稿件。

> 我利用我哥哥的信件和其他作品来制造一种我一直与他所做的事紧密相连的印象。

> 然而实际上，她的反犹太主义与尼采存在严重的分歧和疏离。

伊丽莎白监督这些稿件的出版。她的民族主义情感确保了尼采在第一、第二次世界大战中德意志帝国主义新兴的政治理念中占据着一席之地。

这是历史上极具讽刺的事情，尼采一直宣称憎恶种族主义，尤其是反犹主义，但这一思想却被他最有力的支持者——纳粹有效地封锁了。

随后，在对纳粹战犯的纽伦堡审判（Nuremberg trials of Nazi war criminals，1946 年）中，尼采被称为纳粹意识形态的主要人物。尼采对此似乎早已产生恐惧，但又预言了这一对他思想完全错误的认知，正如 1884 年 6 月他从威尼斯写给她妹妹的信中（足够讽刺）所说的。

当我想到那些不经判断、不经准备就采用我的观念、调用我的权威的人时，我毛骨悚然。

重要的不是一个天才观念的创造者可能的意思是什么，而是这个观念在传播者的嘴中变成了什么。

正如尼采注意到的那样，政治家更关注私利而不是真理，而希特勒在他的书 *Mein Kampf*（《我的奋斗》，1925—1926 年）中厚颜无耻地认同了这个观点。

反击的实例

假如不考虑纳粹意识形态的复杂性，**种族主义**（racism）问题可能是分辨尼采与希特勒最简单的方式。下面对比希特勒《我的奋斗》中的宣言和尼采 1887 年 12 月 26 日从尼斯写给妹妹的信中的看法。

> 我们的党派依赖于宇宙的种族构想，那是它教义的关键部分，它为种族主义的最终胜利效力。

Mein Kampf

> 最近我已经被反犹主义的信件和宣传手册淹没，我对这个党派（利用我的名字只会让它更开心）的厌恶已经再明显不过。

在**民族主义**的问题上，尼采的立场非常清晰。几乎没有哪位作家比尼采更不尊重自己的国家和它的政治体制了。一封写于 1887 年 5 月 12 日、发自瑞士的书信足以印证这一点。"我只对最有文化的法国人和俄国人有亲近感，而对德国同胞中的所谓**精英**毫无感觉，他们判断事物的标准只有一个：'德意志高于一切。'……"

让他去查拉图斯特拉那儿吧，查拉图斯特拉遗忘了对他的民族的爱，因为他学会了爱许多民族。

实际上，查拉图斯特拉鼓吹的是**国际主义信条**。

尼采与精神分析学

　　马克思和弗洛伊德的学说都与尼采的"怀疑论"存在共同之处。他们对文化和意识的分析呈现出一部西方的**错误意识**的历史。

　　弗洛伊德在发展其核心观念的过程中，显示出对尼采的崇拜。

所有无法宣泄的本能
都会转向内部。
《道德的谱系》

所有被压抑的真理都
变得有毒。
《查拉图斯特拉如是说》

这些语句显然
是我神经官能症
理论的起点。

尼采在《善恶的彼岸》对骄傲的分析中，也预示着弗洛伊德的**压抑**的概念。

> 我的记忆说，"我做过了"。我的骄傲固执地说，"我不可能做过"。最终，记忆屈服了。

> 歇斯底里症主要因怀旧而痛苦……

弗洛伊德的**病理学**态度——其观点是只有在对不正常的人的研究中，我们才能学到"正常的"心理学的实质——这也反映在尼采《人性的，太人性的》的主张中："任何想要进步的地方，偏离本性都极为重要。"

在尼采的许多话题中，我们都找到了对精神分析思想的预言。

宗教：上帝是总答案……根本上只是对我们的总禁令：你不应思考！

幽默：智慧是情感的坟墓。

——《人性的，太人性的》

性欲：一个人对性的渴望程度和种类，能够到达他灵魂的最高峰。

——《善恶的彼岸》

做梦：人要么永不做梦，要么梦得有趣。

诚然，如果没有心理学批评，尼采的文化、道德作品也无法成立。如果要有真知灼见，这样的批评必须关注作者自身的心理现实。在此，尼采为他的自我认知付出了全部代价。"当我仔细阅读我的《查拉图斯特拉如是说》时，我在房间里来来回回走了半小时，不可抑制地抽泣起来。"

尼采《权力意志》一书的草稿中有这样两个句子，它们向读者揭示了尼采为极度绝望所付出的代价。

这种状况持续了十年：没有任何声音穿透我——就像一片没有雨水降临的陆地。要在干涸中不会枯萎，一个人必须要有极为丰富的人性。

维特根斯坦：语言哲学

20 世纪哲学对语言的兴趣在尼采作品中找到了灵感。在**路德维希·维特根斯坦**（Ludwig Wittgenstein，1889—1951）的后期哲学里，意义被解释为对**话语的使用**，从而强调了语言的**实用效果**。

这种方法认为意义存在于思想与行为间**关系**的变化中，否定了意义是永恒不变的或意义仅是逻辑分析的产物，正如尼采在《古希腊哲学》（*Early Greek Philosophy*，1873 年）中就已预见的。

真理的威严不会被逻辑的绳梯限制。

当任一理解我的人使用我的主张——作为阶梯——爬上去并超过它们的时候（可以说，他必须，在他爬上阶梯后丢掉它），最终都会发现它们是荒谬的。

出自《逻辑哲学导论》6.54（*Tractatus Logico-Philosophicus*，1922

这些变换的关系或　生命形态，将语言偷偷削弱为　文字的　表达，并将其表现为一种更复杂的隐喻、明喻、换喻和诗歌修辞方法的关系。正如维特根斯坦在《哲学研究》（ *Philosophical Investigations* ，1953 年）中所说的一样，也正如我们在尼采语言观中看到的一样，"字面意义"仅是一种形象语言，它的复杂性被遗忘了。

想象一种语言，就是想象一种生命形态。

真理是一种幻境，其幻觉的性质已被遗忘，隐喻被用尽且失去了它们的效用——现在仅作为金属，而不再作为硬币被使用。

155

海德格尔与尼采

在**马丁·海德格尔**（Martin Heidegger，1889—1976）的论文"尼采的话"（"The Word of Nietzsche"）中，他提出，尼采是以柏拉图为典范的西方形而上学传统中最伟大的批评家。"尼采完成了对形而上学的颠覆，形而上学由此什么都不剩，只能转向研究它自身的非根本性与无秩序。"

这个传统被视为**虚无主义**的出现与发展，它正处于一个转折点上（后现代危机？）。

要超越这个阶段，尼采需要与**真理**建立新型关系，而我也需要与**存在**（Being）建立新型关系。

对于海德格尔来说，**存在**（德语为 Sein）是什么意思？它的意思是："让思想去思考的东西。"换句话说，存在超越任何思想的**体系**。但是"超越"并不意味着在人存在于世的终极意义上**超越**——这对尼采来说很重要。

156

存在应该用**视域**（horizon）来理解，像时间的问题一样，它反对用哲学思维来推断——由此海德格尔重要作品的题目，便是《存在与时间》（*Sein und Zeit*，1927 年）。

海德格尔思想的重要部分来源于他的老师**胡塞尔**（Edmund Husserl，1859—1938）的**现象学**（phenomenology）方法（对思维的逻辑内容的朴素审视），海德格尔借此来研究极端心态：焦虑、烦心、本真、虚无。这违背了海德格尔的愿望，将他与**存在主义**联系在了一起。

萨特：存在主义

据让－保罗·萨特（Jean-Paul Sartre，1905—1980）所说，存在主义哲学的首要原则是"存在先于本质"。他的意思是，我们每个人都能够独自决定自己的身份。直至通过自由选择而实现"人性"时，"人性"都是不确定的。因此，首先遭遇的是我们的存在，接着是"绝对自由"，即我们注定在生命中的每一刻都要做选择。

即使不选择也是一种选择！

虚无

萨特的**虚无**（le Néant）是海德格尔的**虚无**（das Nichts）的法语借词，它们都代表着虚无或无目的的焦虑状态。

> 真实地活着，就是完全意识到自我的虚无……

> 完全意识到虚无，意味着坚信我们的未来是死亡。

诚然，我们的"本性"也直至选定性格前都是虚无。只有这样我们才能在存在主义的术语中真实地活着。尼采哲学强调**意志**的根本性作用，这为存在主义思想提供了基本原理——存在主义是由有意志的自由和人类不可避免的选择组成的哲学。

德里达：解构

尼采"重估一切价值"的呼吁是德里达哲学中分解的方法的先声，德里达将这一方法命名为**解构**。解构是一个臭名昭著的棘手术语：它实际上是**不可判定的**。德里达（1930—2004）提议，解构应被描述为一种"对思想的怀疑，**其本质是什么**？"在这种意义上，这是对逻各斯中心主义的西方形而上学传统的攻击，逻各斯中心主义是为真理寻求一个单一的、永恒的、固定的起点。这种宣战在尼采的"怀疑论"中可以找到先例。

> 每个词都是一种先入为主的判断。

> 我的目的是要将人们认为通过语言理解了的东西神秘化。

> 一个哲学的错误观点隐匿于语言中：

> 哲学首先且最重要的就是**写作**。因此它主要依赖它语言的风格与形式……正如**文学**一样。

尼采的写作运用了反讽、戏谑的悖论和分解经典的逻辑，这是德里达提出的解构的典范。他们都认同，最终必须放弃古老的"根本性真理的梦"。

如果能真正理解为什么不能存在"尼采的"哲学，那么也会明白为什么德里达坚持不能将解构变成解构**主义**（deconstruction**ism**）。它不能屈服于变成一种受规则制约的方法、一种根据。"我会说，解构不会因承认其不可能而失去什么。"

福柯：知识与权力

尼采概念性分析的"谱系学"方法最具影响力的继承者是法国哲学家、观念历史学家**米歇尔·福柯**（Michel Foucault，1926—1984）。他的代表作《词与物》（*The Order of Things*，副标题为"人类科学的考古学［An Archaeology of the Human Sciences］"），完美地反映了尼采对于知识的理解，即知识本质上是人类的一个计划，从混乱中制造出秩序。

> 正如思想的考古学简明地显示，人类是晚近的一种发明，且可能已接近灭亡。

福柯强调，当前我们思考自己的模式是有限的。这在尼采《人性的，太人性的》中以评论哲学家的形式得到了首次表达。"……他们不由自主地认为'人'是一种**永恒真理**（aeterna veritas），是一种所有变量中保持不变的东西，是衡量事物的唯一尺度。然而，哲学家称，关于人的一切根本上不过是证明，人在一个非常有限的时间段中存在过而已。"

福柯的微观历史

在文章"尼采，谱系学，历史学"（"Nietzsche, Genealogy, History"，1971年）中，福柯考虑了谱系学与历史、哲学的关系。我们记得尼采曾呼吁研究"另类历史"，即研究日常生活的无名的事实。福柯通过书写疯狂、性、惩罚的微观历史满足了尼采的要求。

> 所有为存在增色添彩的事件至今还没有历史。爱、贪婪、嫉妒、良心、虔诚、残酷的历史在哪里？甚至一个关于正义的比较史，或甚至只是惩罚的历史，都完全是缺失的。

> 这种历史的书写要求一种对传统的思想边界的**越界**——通过研究"权力"与"知识"的关系彻底反思我们的意识。

163

福柯的成就在于记录并拓展了尼采关注的焦点：**权力意志**作为人类话语的主要根据——且尤其是，**知识**话语的主要根据。

真理不是**外在的力量**，……真理就在世界之中：通过**诸多**限制，它被创造出来，且它诱导了**权力**的规则效应。每个社会都有它真理的政权，它真理的"广义政治"。也就是说，将它庇护并使其发挥作用的话语类型当作是真理。

尼采与后现代主义

尼采的影子横跨许多后现代的理论。**让·利奥塔**（Jean-François Lyotard，1924—1998）将后现代状况定性为西方进步主义思想传统"宏大叙事"的无序化（1979年），这十分著名。真理本身的概念已被"去中心化"，但现在"真理意志被强迫自我检查"，我们正经历着哲学与批评理论传染病般的泛滥。尼采是不会认可的。

在无限涌现的批评中，显示了现代人性的弱点。

对知识的欲望在我们中转化为无惧牺牲的激情，这种激情不畏惧任何事情，只畏惧自身消失。可能人类最终会因对知识的激情而灭亡。
——利奥塔

（后现代的）理论之争

鲍德里亚同时分析并举例说明了以下危险的事件：理论的爆炸。他启示录式的写作既创造又消灭了其对象。这些"理论战争"，如同军事战争，在我们周围肆虐，正如尼采在《瞧，这个人》中预言的那样。

所有旧社会的权力结构都被瓦解——他们都依赖于一个谎言：地球上会发生还未发生过的战争。

说现实世界"存在"已不再有意义。没有再现或分析的系统能够指向现实。

鲍德里亚是怎样处理以社会权力结构为基础的"谎言"的呢？

拟像

1981年，鲍德里亚宣布现实已经**死亡**。现在只有通过符号才能**模拟**"现实"。我们见过尼采对这个观点的预言，即现实世界的"消失"（见 139 页）。沿着类似的脉络，鲍德里亚追溯了导致后现代现实灭亡的符号的四个阶段（"谱系学"）。

1. 符号是基本现实的**反映**。

2. 其次它**遮蔽**并**歪曲**基本现实。

3. 接着它标记了基本现实的**缺席**。

4. 最后它与任何现实**无关**，只是自己纯粹的拟像。

MARIO
007400   ♪×1   WORLD   TIME
                  1-1   308

迎来到超现实
（hyper-reality）！

100

后现代的超现实

如传染病一般数目繁多的后现代理论，存在于一种超真空中的偏执感，这不只是学术"理论战争"的后果。它们反映的是一种绝望的眩晕，一种试图跟上宇宙学、遗传学、数字技术中的后现代革命的尝试。

举例来说，1997年2月，爱丁堡的罗斯林研究所（Roslin Institute）培育了一只克隆羊，并给它起名为多莉（Dolly）*。

我对于未来来说意味着什么？

或许我们应该注意前原子物理学家、诺贝尔和平奖的得主约瑟夫·罗特布拉特（Joseph Rotblat）教授的警告。

* 以美国乡村音乐天后多莉·帕顿的名字命名——译注

罗特布拉特教授离开了 1944 年的洛斯阿拉莫斯原子弹计划，他为在他的帮助下发生的大规模杀伤在道德上感到极为痛苦。他后来献身于医学研究，参与反核运动，谴责基因克隆实验的不道德。

进化的原则具有多样性，但克隆违反了进化的原则。我们因变化而成为人类。如果我们都是一样的，我们便不能制造出任何新的东西了。

实际上，我们今天的这项实践科学变成可能的，这已证实保护生命的基本天性不再发挥作用了。

我们可以赞扬尼采对科学"无限发展"的怀疑的远见。"任何危及生命的真理都根本不是真理，而是一个谬误。"（见 56 页）

一个后现代寓言

尼采似乎在如下描述中预见了我们后现代的忧伤情绪。

"知识的唐璜……他不爱他知道的事物，反而对知识的追逐与阴谋投入精力，充满热爱！直到最后，除了对他绝对有害的知识，没有知识再供他追捕，他就像那个最后只能喝苦艾酒和硝酸的醉汉一样。因此最后他贪恋地狱——这是唯一能诱惑他的知识了。但这也是一种幻灭，像所有的知识一样！……整个宇宙中，不剩一点儿面包碎屑能给这个饿汉果腹了。"

同时，我们更喜欢"宁可追求虚无，也不能无所追求"吗？

延伸阅读

尼采著作选编

A Nietzsche Reader（《尼采导读》，Harmondsworth：Penguin，1977），尼采最重要的文章的精选集，是他最好的一部选集，概述了其宗教、艺术、形而上学、心理学和道德方面的观点。

The Genealogy of Morals（《道德的谱系》，New York：Vintage，1973），尼采对道德最系统、最具分析性的著作，清晰明了。

Thus Spake Zarathustra（《查拉图斯特拉如是说》，Harmondsworth：Penguin，1961），戏剧、寓言、隐喻和激情：尼采最缺乏系统性的，但可以说是最易读的作品。

Beyond Good and Evil（《善恶的彼岸》，Harmondsworth：Penguin，1973），尼采的"未来哲学的序曲"，大量使用箴言的形式，被广泛地阅读（和误读）。

作品评论

Nietzsche by Walter Kaufmann（Princeton, NJ: Princeton University Press, 1974），首个有影响力的现代评论，将尼采描绘为一个具有自由意志的人道主义者。

Nietzsche's Voice by H. Staten（Ithaca, NY: Cornell University Press, 1990），现代评论中最让人产生共情的作品，难读，但值得一读。

Nietzsche: Life as Literature by A. Nehemas（Cambridge, MA: Harvard University Press, 1985），采用了详细且学术的写作方法，尼采本人可能赞成也可能反对这一方法。

Friedrich Nietzsche: Philosopher of Culture by Frederick Copleston（London: Search Press, 1975; New York: Barnes & Noble, 1975），对这样的作家，我们会像天主教耶稣会会士一般宽容且与之产生共情。

Reading Nietzsche ed. R. Solomon and K. Higgins（Oxford: Oxford University Press, 1988），包含阅读尼采的某些文本的有用注释。

The New Nietzsche ed. D. Allison（New York: Delta, 1977），德里达、德勒兹等当代法国哲学家的解读，难读但具有挑战性。

Nietzsche by Michael Tanner（Oxford: Oxford University Press, 1994），

犀利、幽默、富有洞察力，是最佳的对尼采的现代短篇评论。

传记

The Tragic Philosopher by F. Lea（London: Athlone Press, 1993），高度程式化且带有偏见，但包含许多有趣的细节。

Nietzsche on Tragedy by M. Silk and J. Stern（Cambridge: Cambridge University Press, 1981），传记体的评论，饱含有用的见解。

致谢

劳伦斯·甘恩（Laurence Gane）非常感谢克里斯·霍罗克斯（Chris Horrocks）、迈克尔·坦尼尔（Michael Tanner）、理查德·阿皮尼亚讷西（Richard Appignanesi）和米歇尔·福柯的灵魂。非常感谢加布丽埃尔（Gabrielle）一直以来的挑衅和她尼采式的刚毅。

非常感谢理查德·阿皮尼亚讷西（很高兴和他一起工作），并希望把这本书献给奥斯瓦尔多（Osvaldo）、阿曼达（Amanda）、卡莉（Car）、勒德（Ro）、莫丽（Mori）、罗茨（Roci）、埃尔·巴尔巴（El Barba）、多拉（Dora）、莫诺（Mono）、帕波（Papo）、耶优（Yeyo）、莉莉（Lili）、昌乔（Chancho）、卡乔（Cacho）、费兰（Fer）、卢（Lu）、梅梅（Meme），当然还有西尔维娜（Silvina）。

索引